KB172002

무지개보카

workbook

고등 중급편

목차

Day 1.

1	**humble**	[ˈhʌm.bəl]	a. 겸손한, 자기를 낮추는
2	**subsidy**	[ˈsʌb.sɪ.di]	n. 보조금(pl. subsidies)
3	**shovel**	[ˈʃʌv.əl]	n. 삽 v. 삽으로 푸다
4	**subside**	[səbˈsaɪd]	v. 가라앉다, 침전하다; 진정되다
5	**vintage**	[víntidʒ]	n. 포도주, 포도 수확연도 a. 오래됨, 오래된
6	**cacography**	[kəkάgrəfi]	n. 악필
7	**school supplies**	[səplái]	p. 학용품
8	**detente**	[deitά:nt]	n. 긴장 완화
9	**reprimand**	[réprəmænd]	v. 비난하다, 질책하다
10	**frugal**	[ˈfru:.gəl]	a. 절약하는, 검소한
11	**affluent**	[ˈæf.lu.ənt]	a. 풍부한
12	**the masses**		p. 대중
13	**tactful**	[ˈtækt.fəl]	a. 재치있는
14	**contravene**	[ˌkɒn.trəˈvi:n]	v. 반대하다; 위반하다
15	**altruism**	[ˈæl.tru.ɪ.zəm]	n. 이타주의, 이타심
16	**void**	[vɔɪd]	a. 텅 빈 / n. 공간
17	**suboptimal**	[sΛbάptəməl]	a. 차선의
18	**append**	[əˈpend]	v. 덧붙이다, 추가하다
19	**heterosexual**	[ˌhet.ər.əˈsek.ʃu.əl]	a. 이성애의
20	**herd**	[hɜ:d]	n. 무리, 떼
21	**roam**	[rəʊm]	v. 배회하다, 돌아다니다
22	**adorn**	[əˈdɔ:n]	v. 꾸미다, 장식하다
23	**plumb**	[plʌm]	n. 추 v. 재다; 납으로 봉하다
24	**lick**	[lɪk]	v. 핥다
25	**mooch**	[mu:tʃ]	v. 배회하다, 살금살금 거닐다; 빌붙다
26	**the real deal**		n. 실질적인 것, 진짜
27	**plum**	[plʌm]	n. 자두
28	**transgress**	[trænzˈgres]	v. 넘다, 벗어나다; 위반하다, 어기다
29	**marinate**	[ˌmær.ɪˈneɪd]	v. 양념장에 재워두다, 절이다
30	**erode**	[ɪˈrəʊd]	v. 침식하다
31	**take up**		p. ~을 맡다
32	**serve to do**		p. ~하는 데 도움이 되다
33	**slip away**		p. 사라지다, 없어지다
34	**make A a regular habit**		p. A하는 습관을 들이다
35	**opposed to N**		p. ~에 반대하는
36	**at a 형 pace**		p. ~한 속도로
37	**at one time**		p. 한꺼번에, 동시에; 일찍이, 한 때
38	**be detached from**		p. ~에서 분리되다
39	**take place**		p. 일어나다, 발생하다
40	**take leave**		p. 작별을 고하다

Day 1 TEST

번호	영어	한글	글자수
1	plum		
2	suboptimal		
3	the real deal		
4	serve to do		
5	subside		
6	marinate		
7	frugal		
8	make A a regular habit		
9	school supplies		
10	contravene		
11	opposed to N		
12	transgress		
13	adorn		
14	append		
15	herd		
16	erode		
17	void		
18	mooch		
19	altruism		
20	be detached from		

Day 1 TEST

번호	한글	영어	글자수
21	a. 풍부한	a	8
22	p. 작별을 고하다	t	9 (p.)
23	n. 악필	c	10
24	a. 이성애의	h	12
25	n. 보조금(pl. subsidies)	s	7
26	n. 추 v. 재다; 납으로 봉하다	p	5
27	a. 겸손한, 자기를 낮추는	h	6
28	v. 배회하다, 돌아다니다	r	4
29	p. 일어나다, 발생하다	t	9 (p.)
30	v. 비난하다, 질책하다	r	9
31	p. ~한 속도로	a	8 (p.)
32	a. 재치있는	t	7
33	n. 포도주, 포도 수확연도 a. 오래됨, 오래된	v	7
34	p. 사라지다, 없어지다	s	8 (p.)
35	p. ~을 맡다	t	6 (p.)
36	n. 삽 v. 삽으로 푸다	s	6
37	p. 한꺼번에, 동시에; 일찍이, 한 때	a	9 (p.)
38	p. 대중	t	9 (p.)
39	v. 핥다	l	4
40	n. 긴장 완화	d	7

Day 2.

41	**rivulet**	[rívjulit]	n. 시내, 개울
42	**raze**	[reɪz]	v. 완전히 파괴하다
43	**relinquish**	[rɪˈlɪŋ.kwɪʃ]	v. 포기하다, 양도하다, 단념하다
44	**luster**	[lΛstər]	n. 광택
45	**enjoin**	[ɪnˈdʒɔɪn]	v. ~에게 명령하다; 금하다
46	**barley**	[ˈbɑː.li]	n. 보리
47	**garment**	[ˈɡɑː.mənt]	n. 의류, 옷가지
48	**tease**	[tiːz]	v. 놀리다, 못살게 굴다
49	**natal**	[ˈneɪ.təl]	a. 태어난 (고향의), 출생의
50	**tangible**	[ˈtæn.dʒə.bəl]	a. 만질 수 있는, 유형의
51	**deceive**	[disíːv]	v. 속이다, 기만하다
52	**subtle**	[ˈsʌt.əl]	a. 미묘한, 감지하기 힘든, 교묘한
53	**notwithstanding**	[ˌnɒt.wɪðˈstæn.dɪŋ]	c. ~에도 불구하고
54	**grievance**	[ˈɡriː.vəns]	n. 불만
55	**mirage**	[mɪˈrɑːʒ]	n. 신기루
56	**sojourn**	[ˈsɒdʒ.ɜːn]	v. 묵다, 체류하다
57	**carnivore**	[ˈkɑː.nɪ.vɔːr]	n. 육식동물
58	**odometer**	[əʊˈdɒm.ɪ.tər]	n. 주행기록장치
59	**quantum physics**		n. 양자 물리학
60	**kin**	[kin]	n. 친척, 친족; 친족인
61	**contour**	[ˈkɒn.tɔːr]	n. 윤곽, 외형; 지형선, 등고선
62	**peculiar**	[pɪˈkjuː.li.ər]	a. 특유의, 특이한
63	**sage**	[seɪdʒ]	n. 현자
64	**ample**	[ˈæm.pəl]	a. 충분한
65	**archaeology**	[ˌɑː.kiˈɒl.ə.dʒi]	n. 고고학
66	**aspirator**	[æspərèitər]	n. 흡인기
67	**imperative**	[ɪmˈper.ə.tɪv]	a. 반드시 해야하는, 필수적인; 강제적인, 긴급한
68	**theology**	[θiˈɒl.ə.dʒi]	n. 신학
69	**holocaust**	[ˈhɒl.ə.kɔːst]	n. 대량학살
70	**blunt**	[blʌnt]	a. 무딘, 퉁명스러운
71	**be skilled in**		p. ~에 능숙한
72	**make the point that**		p. ~이라는 주장을 하다
73	**take precaution**		p. 조심하다
74	**act as**		p. ~역할을 하다, ~로 행동하다; ~로 작용하다
75	**at home**		p. 국내에서
76	**control over**		p. ~에 대한 통제력
77	**move around**		p. 이러저리 옮기다
78	**venture into**		p. ~로 과감히 들어가보다
79	**aggressive to N**		p. ~에게 공격적인
80	**reaction to N**		p. ~에 대한 반응

Day 2 TEST

번호	영어	한글	글자수
1	reaction to N		
2	sojourn		
3	mirage		
4	luster		
5	move around		
6	venture into		
7	relinquish		
8	odometer		
9	contour		
10	aggressive to N		
11	deceive		
12	control over		
13	raze		
14	enjoin		
15	holocaust		
16	tangible		
17	natal		
18	theology		
19	blunt		
20	aspirator		

Day 2 TEST

번호	한글	영어	글자수
21	p. ~이라는 주장을 하다	m	16 (p.)
22	n. 의류, 옷가지	g	7
23	p. 조심하다	t	14 (p.)
24	a. 충분한	a	5
25	n. 양자 물리학	q	14 (p.)
26	n. 불만	g	9
27	a. 특유의, 특이한	p	8
28	p. ~에 능숙한	b	11 (p.)
29	n. 친척, 친족; 친족인	k	3
30	p. 국내에서	a	6 (p.)
31	n. 고고학	a	11
32	n. 보리	b	6
33	c. ~에도 불구하고	n	15
34	n. 시내, 개울	r	7
35	a. 반드시 해야하는, 필수적인; 강제적인, 긴급한	i	10
36	n. 현자	s	4
37	v. 놀리다, 못살게 굴다	t	5
38	a. 미묘한, 감지하기 힘든, 교묘한	s	6
39	n. 육식동물	c	9
40	p. ~역할을 하다, ~로 행동하다; ~로 작용하다	a	5 (p.)

종합 TEST

번호	영어	한글	글자수
1	altruism		
2	subside		
3	take up		
4	peculiar		
5	transgress		
6	carnivore		
7	odometer		
8	append		
9	erode		
10	school supplies		
11	aspirator		
12	reprimand		
13	luster		
14	contour		
15	archaeology		
16	rivulet		
17	reaction to N		
18	heterosexual		
19	mirage		
20	contravene		

종합 TEST

번호	한글	영어	글자수
21	a. 재치있는	t	7
22	n. 악필	c	10
23	v. ~에게 명령하다; 금하다	e	6
24	a. 무딘, 퉁명스러운	b	5
25	n. 양자 물리학	q	14 (p.)
26	n. 친척, 친족; 친족인	k	3
27	p. ~이라는 주장을 하다	m	16 (p.)
28	p. 작별을 고하다	t	9 (p.)
29	v. 배회하다, 돌아다니다	r	4
30	v. 놀리다, 못살게 굴다	t	5
31	n. 보조금(pl. subsidies)	s	7
32	n. 보리	b	6
33	n. 불만	g	9
34	a. 미묘한, 감지하기 힘든, 교묘한	s	6
35	n. 포도주, 포도 수확연도 a. 오래됨, 오래된	v	7
36	v. 완전히 파괴하다	r	4
37	v. 꾸미다, 장식하다	a	5
38	a. 차선의	s	10
39	a. 절약하는, 검소한	f	6
40	v. 속이다, 기만하다	d	7

Day 3.

81	**allure**	[əlúər]	v. 유혹하다, 매혹하다
82	**adjoin**	[əˈdʒɔɪn]	v. 붙어 있다, 인접하다
83	**incidence**	[ˈɪn.sɪ.dəns]	n. 발생률, 빈도
84	**tropic**	[ˈtrɒp.ɪk]	n. 회귀선, 열대 지방 a. 열대 지방의
85	**repulse**	[rɪˈpʌls]	v. 퇴짜놓다, 거절하다
86	**brace**	[breɪs]	v. 떠받치다 n. 버팀목, 버팀대; 치아 교정기
87	**mortify**	[ˈmɔː.tɪ.faɪ]	v. 굴욕감을 주다, 몹시 당황하게 만들다
88	**ranch**	[rɑːntʃ]	n. 목장
89	**gut**	[gʌt]	n. 창자, 장 a. 본능적인, 근본적인
90	**heterodox**	[ˈhet.ər.ə.dɒks]	n. 다른 생각 a. 이단의, 비전통의
91	**embed**	[ɪmˈbed]	v. 꽂아 넣다, 깊이 박다
92	**oath**	[əʊθ]	n. 맹세, 서약, 선서; 욕설
93	**acquit**	[əˈkwɪt]	v. 석방하다, 무죄로 하다; 행동하다, 처신하다
94	**intrude**	[ɪnˈtruːd]	v. 강요하다; 간섭하다, 방해하다
95	**spouse**	[spaʊs]	n. 배우자
96	**ingrain**	[ingréin]	a. 깊이 배어든, 뿌리 깊은
97	**congregate**	[ˈkɒŋ.grɪ.geɪt]	v. 모이다, 집합시키다
98	**casualty**	[ˈkæʒ.ju.əl.ti]	n. 사상자, 피해자
99	**memorabilia**	[ˌmem.ər.əˈbɪl.i.ə]	n. 기념품
100	**afflict**	[əˈflɪkt]	v. 괴롭히다, 들볶다
101	**humanitarian**	[hjuːmænitέəriən]	n. 인도주의자 a. 인도주의적인, 인간애의
102	**interdict**	[ˈɪn.tə.dɪkt]	v. 금지하다, 제지하다
103	**acrobat**	[ˈæk.rə.bæt]	n. 곡예사, (정치적 의견, 주의 등의) 변절자
104	**intermit**	[ìntərmít]	v. 일시 멈추다, 중단되다
105	**polarity**	[pəˈlær.ə.ti]	n. 양극성, 상반되는 대립
106	**impregnate**	[imprégneit]	v. 임신시키다; 주입하다
107	**behalf**	[bihæf]	n. 이익, 원조, 자기편; 지지
108	**missionary**	[ˈmɪʃ.ən.ri]	n. 전도사, 선교사
109	**antebellum**	[ˌæn.tiˈbel.əm]	a. 전쟁 전의
110	**dullard**	[ˈdʌl.əd]	n. 얼간이, 멍청이, 바보
111	**at a glance**		p. 한 눈에, 즉시
112	**at pleasure**		p. 하고 싶은 대로, 내키는 대로
113	**take a supplement**		p. 영양제를[알약을] 복용하다
114	**admit to N**		p. ~한 것을 인정하다
115	**contribute to N**		p. ~에 기여하다, ~의 원인이 되다
116	**delegate A to B**		p. A를 B에게 위임하다
117	**lay off**		p. ~을 해고하다
118	**pin back**		p. (고정핀으로) 뒤로 당겨서 묶다, 고정시키다
119	**confer with**		p. ~과 협의하다
120	**bear with**		p. ~을 견디다

Day 3 TEST

번호	영어	한글	글자수
1	humanitarian		
2	impregnate		
3	take a supplement		
4	casualty		
5	delegate A to B		
6	acrobat		
7	contribute to N		
8	pin back		
9	admit to N		
10	bear with		
11	ranch		
12	at pleasure		
13	allure		
14	spouse		
15	mortify		
16	lay off		
17	embed		
18	at a glance		
19	acquit		
20	gut		

Day 3 TEST

번호	한글	영어	글자수
21	n. 이익, 원조, 자기편; 지지	b	6
22	v. 모이다, 집합시키다	c	10
23	v. 강요하다; 간섭하다, 방해하다	i	7
24	v. 금지하다, 제지하다	i	9
25	v. 괴롭히다, 들볶다	a	7
26	n. 양극성, 상반되는 대립	p	8
27	n. 발생률, 빈도	i	9
28	v. 붙어 있다, 인접하다	a	6
29	n. 회귀선, 열대 지방 a. 열대 지방의	t	6
30	n. 얼간이, 멍청이, 바보	d	7
31	p. ~과 협의하다	c	10 (p.)
32	v. 떠받치다 n. 버팀목, 버팀대; 치아 교정기	b	5
33	v. 일시 멈추다, 중단되다	i	8
34	n. 다른 생각 a. 이단의, 비전통의	h	9
35	n. 전도사, 선교사	m	10
36	a. 깊이 배어든, 뿌리 깊은	i	7
37	n. 기념품	m	11
38	a. 전쟁 전의	a	10
39	n. 맹세, 서약, 선서; 욕설	o	4
40	v. 퇴짜놓다, 거절하다	r	7

종합 TEST

번호	영어	한글	글자수
1	be skilled in		
2	theology		
3	oath		
4	marinate		
5	aspirator		
6	detente		
7	take place		
8	luster		
9	altruism		
10	notwithstanding		
11	peculiar		
12	take a supplement		
13	affluent		
14	allure		
15	at home		
16	take precaution		
17	ingrain		
18	casualty		
19	polarity		
20	grievance		

종합 TEST

번호	한글	영어	글자수
21	a. 전쟁 전의	a	10
22	n. 보조금(pl. subsidies)	s	7
23	n. 윤곽, 외형; 지형선, 등고선	c	7
24	p. 한 눈에, 즉시	a	9 (p.)
25	n. 실질적인 것, 진짜	t	11 (p.)
26	p. 학용품	s	14 (p.)
27	v. 속이다, 기만하다	d	7
28	n. 친척, 친족; 친족인	k	3
29	v. 침식하다	e	5
30	p. ~에 반대하는	o	10 (p.)
31	a. 이성애의	h	12
32	p. 작별을 고하다	t	9 (p.)
33	a. 재치있는	t	7
34	v. 덧붙이다, 추가하다	a	6
35	p. ~역할을 하다, ~로 행동하다; ~로 작용하다	a	5 (p.)
36	p. ~을 해고하다	l	6 (p.)
37	v. 핥다	l	4
38	v. 묵다, 체류하다	s	7
39	p. ~하는 데 도움이 되다	s	9 (p.)
40	v. 일시 멈추다, 중단되다	i	8

Day 4.

121	**cane**	[keɪn]	n. 줄기; 지팡이
122	**pauper**	[ˈpɔː.pər]	n. 극빈자, 빈민
123	**belligerent**	[bəˈlɪdʒ.ər.ənt]	a. 적대적인, 공격적인
124	**bewilder**	[biwíldər]	v. 어리둥절하게 만들다
125	**intrepid**	[ɪnˈtrep.ɪd]	a. 대담한
126	**corpse**	[kɔːrps]	n. 시신, 시체
127	**spatial**	[ˈspeɪ.ʃəl]	a. 공간의, 공간적인
128	**brevity**	[brévəti]	n. 짧음; 간결
129	**remnant**	[rémnənt]	n. 나머지, 잔여, 자취
130	**decay**	[dɪˈkeɪ]	v. 썩다, 부식하다; 쇠퇴하다
131	**riverine**	[rívəràin]	a. 강변의
132	**induct**	[ɪnˈdʌkt]	v. 취임시키다, 입문시키다; 전수하다
133	**vigor**	[ˈvɪg.ɚ]	n. 활기, 활력
134	**falter**	[ˈfɒl.tər]	v. 말을 더듬다, 흔들리다
135	**joint**	[dʒɔɪnt]	a. 관절, 공동의
136	**infant**	[ínfənt]	n. 유아
137	**contagious**	[kənˈteɪ.dʒəs]	a. 전염성의
138	**embody**	[ɪmˈbɒd.i]	v. 구체화 하다; 포함하다
139	**brute**	[bruːt]	n. 짐승, 야수 a. 힘에만 의존하는
140	**naturalize**	[ˈnætʃ.ər.əl.aɪz]	v. 귀화시키다
141	**march**	[mɑːtʃ]	v. 나아가다, 행진하다 n. 3월
142	**mutually exclusive**		a. 상호 배타적인
143	**blast**	[blæst]	n. 돌풍, 센바람
144	**feint**	[feɪnt]	n. 거짓 꾸밈, 가장
145	**impute**	[ɪmˈpjuːt]	v. ~의 탓으로 하다
146	**fetch**	[fetʃ]	v. 가져오다
147	**tribute**	[ˈtrɪb.juːt]	n. 헌사, 공물
148	**orchestrate**	[ˈɔː.kɪ.streɪt]	v. 조직하다; 오케스트라용으로 편곡하다
149	**virtuosic**	[və̀ːrʧuάsik]	a. 거장다운, 거장의
150	**convict**	[kənˈvɪkt]	v. 유죄를 선고하다 n. 죄수
151	**make no mistake about**		p. ~은 분명하다
152	**by the same token**		p. 같은 이유로
153	**make a commotion**		p. 소동을 일으키다
154	**at all cost**		p. 기어코, 어떠한 희생을 치르더라도
155	**at fault**		p. 잘못이 있는, 책임이 있는
156	**at one's expense**		p. ~의 부담으로
157	**at the outset**		p. 처음부터, 처음에
158	**in a split second**		p. 눈깜짝할 사이에
159	**bring to the table**		p. ~을 제공하다, ~을 제시하다
160	**except to do**		p. ~을 제외하고

Day 4 TEST

번호	영어	한글	글자수
1	take a supplement		
2	cane		
3	dullard		
4	mutually exclusive		
5	admit to N		
6	march		
7	embody		
8	at pleasure		
9	make a commotion		
10	afflict		
11	decay		
12	falter		
13	impregnate		
14	orchestrate		
15	spouse		
16	in a split second		
17	infant		
18	intermit		
19	corpse		
20	mortify		

Day 4 TEST

번호	한글	영어	글자수
21	v. 유혹하다, 매혹하다	a	6
22	n. 인도주의자 a. 인도주의적인, 인간애의	h	12
23	a. 대담한	i	8
24	p. 잘못이 있는, 책임이 있는	a	7 (p.)
25	p. 같은 이유로	b	14 (p.)
26	p. ~을 해고하다	l	6 (p.)
27	n. 돌풍, 센바람	b	5
28	p. (고정핀으로) 뒤로 당겨서 묶다, 고정시키다	p	7 (p.)
29	n. 다른 생각 a. 이단의, 비전통의	h	9
30	p. A를 B에게 위임하다	d	12 (p.)
31	p. ~의 부담으로	a	14 (p.)
32	n. 활기, 활력	v	5
33	n. 짧음; 간결	b	7
34	p. 기어코, 어떠한 희생을 치르더라도	a	9 (p.)
35	v. 유죄를 선고하다 n. 죄수	c	7
36	n. 거짓 꾸밈, 가장	f	5
37	n. 곡예사, (정치적 의견, 주의 등의) 변절자	a	7
38	a. 강변의	r	8
39	n. 목장	r	5
40	v. 금지하다, 제지하다	i	9

종합 TEST

번호	영어	한글	글자수
1	ingrain		
2	embody		
3	contour		
4	mooch		
5	induct		
6	oath		
7	take place		
8	subsidy		
9	take a supplement		
10	intrepid		
11	suboptimal		
12	cane		
13	make no mistake about		
14	behalf		
15	allure		
16	bear with		
17	afflict		
18	intrude		
19	repulse		
20	carnivore		

종합 TEST

번호	한글	영어	글자수
21	p. 작별을 고하다	t	9 (p.)
22	p. (고정핀으로) 뒤로 당겨서 묶다, 고정시키다	p	7 (p.)
23	n. 광택	l	6
24	p. 처음부터, 처음에	a	11 (p.)
25	p. 국내에서	a	6 (p.)
26	n. 고고학	a	11
27	v. 반대하다; 위반하다	c	10
28	n. 긴장 완화	d	7
29	v. 완전히 파괴하다	r	4
30	n. 사상자, 피해자	c	8
31	p. 학용품	s	14 (p.)
32	n. 창자, 장 a. 본능적인, 근본적인	g	3
33	p. 한 눈에, 즉시	a	9 (p.)
34	v. 놀리다, 못살게 굴다	t	5
35	n. 추 v. 재다; 납으로 봉하다	p	5
36	p. ~에 대한 반응	r	11 (p.)
37	p. ~에 반대하는	o	10 (p.)
38	v. 일시 멈추다, 중단되다	i	8
39	n. 회귀선, 열대 지방 a. 열대 지방의	t	6
40	n. 발생률, 빈도	i	9

Day 5.

161	**dazzle**	[ˈdæz.əl]	v. 눈이 부시게 하다 n. 눈부심, 황홀함
162	**suspend**	[səˈspend]	v. 일시 중지하다; 정직시키다; 연기하다; 매달다
163	**superfluous**	[suːˈpɜː.flu.əs]	a. 불필요한, 여분의
164	**perpetual**	[pəˈpetʃ.u.əl]	a. 끊임없이 계속되는, 영원한; 빈번한
165	**resilience**	[rizíljəns]	n. 탄력성, 회복력
166	**recede**	[rɪˈsiːd]	v. 물러나다, 희미해지다, 약해지다
167	**proponent**	[prəpóunənt]	n. 지지자
168	**dwell**	[dwel]	v. 거주하다, 살다
169	**hierarchy**	[ˈhaɪə.rɑː.ki]	n. 계급, 위계
170	**disparage**	[dɪˈspær.ɪdʒ]	v. 비방하다, 경시하다, ~을 얕보다
171	**repel**	[rɪˈpel]	v. 물리치다, 쫓아버리다
172	**apprehend**	[ˌæp.rɪˈhend]	v. 이해하다, 염려하다; 체포하다
173	**rebel**	[ˈreb.əl]	n. 반역자, 반항아 v. 반란을 일으키다
174	**scavenger**	[ˈskæv.ɪn.dʒər]	n. 쓰레기 뒤지는 사람, 죽은 동물을 먹는 동물
175	**conspicuous**	[kənˈspɪk.ju.əs]	a. 눈에 띄는, 현저한
176	**mingle**	[ˈmɪŋ.gəl]	v. 섞이다, 어우러지다
177	**pendulum**	[ˈpen.dʒəl.əm]	n. (시계의) 추, 진자
178	**reprehend**	[ˌrep.rɪˈhend]	v. 꾸짖다, 비난하다
179	**necessitous**	[nəsésətəs]	a. 가난한, 궁핍한, 필연적인
180	**courtship**	[ˈkɔːt.ʃɪp]	n. 구애, 구혼, 약혼 전의 교재
181	**dispense**	[dɪˈspens]	v. 나누어 주다, 분배하다; 조제하다
182	**cringe**	[krɪndʒ]	n. 비굴한 태도 v. 굽실대다
183	**indigenous**	[ɪnˈdɪdʒ.ɪ.nəs]	a. 토착의, 원주민의
184	**antinomy**	[ænˈtɪn.ə.mi]	n. 모순; 이율 배반
185	**controversy**	[ˈkɒn.trə.vɜː.si]	n. 논쟁
186	**diminish**	[dɪˈmɪn.ɪʃ]	v. 줄이다, 축소하다, 감소시키다
187	**diabetes**	[ˌdaɪ.əˈbiː.tiːz]	n. 당뇨병
188	**credulous**	[ˈkredʒ.ə.ləs]	a. 너무 잘 믿는(속기 쉬움)
189	**spine**	[spaɪn]	n. 척추, 등뼈; 가시
190	**gravel**	[ˈgræv.əl]	n. 자갈
191	**make one's way to**		p. ~로 나아가다
192	**take A further**		p. A추가적인 조치를 취하다
193	**on closer inspection**		p. 더 자세히 살펴보면
194	**prove a point**		p. 반드시 ~하다
195	**carry away**		p. 가져가 버리다; 넋을 잃게 하다
196	**at variance with**		p. ~와 상충하는 / 모순되는
197	**with regard to**		p. ~과 관련하여, ~에 대해
198	**triumph over**		p. ~에게 승리하다
199	**at the expense of**		p. ~을 희생하면서
200	**come out ahead**		p. 결국 이득을 보다

Day 5 TEST

번호	영어	한글	글자수
1	repel		
2	make one's way to		
3	courtship		
4	recede		
5	reprehend		
6	conspicuous		
7	diminish		
8	disparage		
9	perpetual		
10	hierarchy		
11	take A further		
12	triumph over		
13	on closer inspection		
14	dwell		
15	credulous		
16	mingle		
17	at variance with		
18	dazzle		
19	resilience		
20	controversy		

Day 5 TEST

번호	한글	영어	글자수
21	p. ~과 관련하여, ~에 대해	w	12 (p.)
22	p. 가져가 버리다; 넋을 잃게 하다	c	9 (p.)
23	p. 반드시 ~하다	p	11 (p.)
24	v. 일시 중지하다; 정직시키다; 연기하다; 매달다	s	7
25	a. 가난한, 궁핍한, 필연적인	n	11
26	n. 자갈	g	6
27	n. 비굴한 태도 v. 굽실대다	c	6
28	a. 토착의, 원주민의	i	10
29	n. 당뇨병	d	8
30	n. 지지자	p	9
31	p. ~을 희생하면서	a	14 (p.)
32	v. 나누어 주다, 분배하다; 조제하다	d	8
33	a. 불필요한, 여분의	s	11
34	n. (시계의) 추, 진자	p	8
35	n. 반역자, 반항아 v. 반란을 일으키다	r	5
36	n. 모순; 이율 배반	a	8
37	n. 척추, 등뼈; 가시	s	5
38	v. 이해하다, 염려하다; 체포하다	a	9
39	n. 쓰레기 뒤지는 사람, 죽은 동물을 먹는 동물	s	9
40	p. 결국 이득을 보다	c	12 (p.)

종합 TEST

번호	영어	한글	글자수
1	imperative		
2	proponent		
3	courtship		
4	herd		
5	sage		
6	at one time		
7	rebel		
8	at home		
9	at all cost		
10	make a commotion		
11	pauper		
12	impregnate		
13	apprehend		
14	come out ahead		
15	control over		
16	take A further		
17	barley		
18	impute		
19	at fault		
20	tribute		

종합 TEST

번호	한글	영어	글자수
21	p. ~을 견디다	b	8 (p.)
22	v. 꾸미다, 장식하다	a	5
23	p. ~과 협의하다	c	10 (p.)
24	v. 취임시키다, 입문시키다; 전수하다	i	6
25	a. 텅 빈 / n. 공간	v	4
26	a. 재치있는	t	7
27	n. 악필	c	10
28	v. 유혹하다, 매혹하다	a	6
29	n. 짐승, 야수 a. 힘에만 의존하는	b	5
30	v. 붙어 있다, 인접하다	a	6
31	n. 다른 생각 a. 이단의, 비전통의	h	9
32	a. 공간의, 공간적인	s	7
33	a. 전염성의	c	10
34	n. 주행기록장치	o	8
35	n. 거짓 꾸밈, 가장	f	5
36	n. 곡예사, (정치적 의견, 주의 등의) 변절자	a	7
37	a. 거장다운, 거장의	v	9
38	n. 회귀선, 열대 지방 a. 열대 지방의	t	6
39	v. 금지하다, 제지하다	i	9
40	n. 자두	p	4

Day 6.

201	**acne**	[ˈæk.ni]	n. 여드름
202	**poverty**	[ˈpɒv.ə.ti]	n. 가난
203	**contend**	[kənténd]	v. 주장하다, 논쟁하다; 다투다
204	**bosom**	[búzəm]	n. (여자의) 가슴; 단란함
205	**fluctuate**	[ˈflʌk.tʃu.eɪt]	v. 변동하다
206	**garb**	[gɑːb]	n. 복장
207	**acquisitiveness**	[əˈkwɪz.ɪ.tɪv.nəs]	n. 물욕, 탐욕
208	**amass**	[əˈmæs]	v. 모으다, 축적하다
209	**ensue**	[ɪnˈsjuː]	v. 계속해서 일어나다
210	**solitary**	[ˈsɒl.ɪ.tər.i]	a. 고독한, 혼자의
211	**audiovisual**	[ˌɔː.di.əʊˈvɪʒ.u.əl]	a. 시청각의
212	**picket**	[ˈpɪk.ɪt]	v. 피켓 시위를 하다
213	**voyage**	[ˈvɔɪ.ɪdʒ]	n. 항해, 여행
214	**disparate**	[díspərit, dispǽ-]	a. 이질적인
215	**connote**	[kəˈnəʊt]	v. 암시하다, 함축하다, 내포하다
216	**suffrage**	[ˈsʌf.rɪdʒ]	n. 투표권, 선거권
217	**disperse**	[dɪˈspɜːs]	v. 흩어지게 하다; 분산시키다
218	**feasible**	[ˈfiː.zə.bəl]	a. 실행 가능한, 그럴듯한
219	**ethanol**	[ˈeθ.ə.nɒl]	n. 에탄올
220	**jurisdiction**	[ˌdʒʊə.rɪsˈdɪk.ʃən]	n. 재판권; 관할권
221	**pediatric**	[ˌpiː.diˈæt.rɪk]	a. 소아과의
222	**premonitory**	[priˈmɒn.ɪ.tər.i]	a. 예고의, 전조의
223	**endear**	[ɪnˈdɪər]	v. 애정을 느끼게 하다
224	**specimen**	[ˈspes.ə.mɪn]	n. 견본, 표본
225	**pox**	[ˈpɒks]	n. 천연두
226	**underdog**	[əˈndərdɔˌg]	n. 약체, 약자
227	**telling**	[ˈtel.ɪŋ]	a. 효과적으로 보여 주는; 효과적인, 효험이 있는
228	**utensil**	[juːˈten.səl]	n. 도구, 기구
229	**standfast**	[stǽndfæst]	n. 바른, 확고한 위치
230	**arithmetic**	[əˈrɪθ.mə.tɪk]	n. 산수, 연산
231	**at the rate of**		p. ~의 비율로
232	**at a distance**		p. 멀리서[거리를 두고]
233	**take stock**		p. (찬찬히) 살펴보다, 점검하다; 재고 조사하다
234	**at the best**		p. 잘해봐야
235	**rise to the bait**		p. 미끼를 물다
236	**come on**		p. 시작하다; ~이 닥쳐오다
237	**at first glance**		p. 처음에는[언뜻 보기에는], 처음 봐서는
238	**at the age of**		p. ~의 나이로
239	**factor in**		p. ~을 고려하다, ~을 계산에 넣다
240	**in the abstract**		p. 추상적으로, 관념적으로

Day 6 TEST

번호	영어	한글	글자수
1	picket		
2	at a distance		
3	in the abstract		
4	connote		
5	ethanol		
6	standfast		
7	rise to the bait		
8	bosom		
9	feasible		
10	at first glance		
11	utensil		
12	at the age of		
13	amass		
14	pediatric		
15	take stock		
16	suffrage		
17	premonitory		
18	garb		
19	audiovisual		
20	at the best		

Day 6 TEST

번호	한글	영어	글자수
21	n. 여드름	a	4
22	p. ~을 고려하다, ~을 계산에 넣다	f	8 (p.)
23	n. 재판권; 관할권	j	12
24	v. 흩어지게 하다; 분산시키다	d	8
25	p. 시작하다; ~이 닥쳐오다	c	6 (p.)
26	p. ~의 비율로	a	11 (p.)
27	n. 산수, 연산	a	10
28	v. 변동하다	f	9
29	a. 효과적으로 보여 주는; 효과적인, 효험이 있는	t	7
30	n. 약체, 약자	u	8
31	a. 고독한, 혼자의	s	8
32	n. 항해, 여행	v	6
33	v. 주장하다, 논쟁하다; 다투다	c	7
34	v. 계속해서 일어나다	e	5
35	n. 가난	p	7
36	n. 물욕, 탐욕	a	15
37	n. 견본, 표본	s	8
38	v. 애정을 느끼게 하다	e	6
39	a. 이질적인	d	9
40	n. 천연두	p	3

종합 TEST

번호	영어	한글	글자수
1	humanitarian		
2	detente		
3	embody		
4	plum		
5	tangible		
6	remnant		
7	perpetual		
8	contend		
9	in a split second		
10	serve to do		
11	with regard to		
12	prove a point		
13	adjoin		
14	blunt		
15	conspicuous		
16	deceive		
17	odometer		
18	grievance		
19	allure		
20	herd		

종합 TEST

번호	한글	영어	글자수
21	p. A하는 습관을 들이다	m	18 (p.)
22	n. 헌사, 공물	t	7
23	v. 금지하다, 제지하다	i	9
24	a. 충분한	a	5
25	a. 상호 배타적인	m	17 (p.)
26	n. 포도주, 포도 수확연도 a. 오래됨, 오래된	v	7
27	p. ~에 능숙한	b	11 (p.)
28	n. 논쟁	c	11
29	p. ~의 나이로	a	10 (p.)
30	n. 시내, 개울	r	7
31	a. 강변의	r	8
32	n. 쓰레기 뒤지는 사람, 죽은 동물을 먹는 동물	s	9
33	v. 애정을 느끼게 하다	e	6
34	n. 악필	c	10
35	v. 배회하다, 살금살금 거닐다; 빌붙다	m	5
36	p. 대중	t	9 (p.)
37	a. 재치있는	t	7
38	v. 완전히 파괴하다	r	4
39	n. 양자 물리학	q	14 (p.)
40	p. ~을 희생하면서	a	14 (p.)

Day 7.

241	**rhetorical**	[rɪˈtɒr.ɪ.kəl]	a. 수사적인, 미사여구식의, 과상이 심한
242	**carton**	[ˈkɑː.tən]	n. 상자
243	**arrogate**	[ˈær.ə.ɡeɪt]	v. 침해하다, 가로채다
244	**domineer**	[dὰmənɪ́ər]	v. 권력을 휘두르다
245	**tariff**	[ˈtær.ɪf]	n. 관세, 요금표
246	**pulp**	[pʌlp]	n. 걸쭉한 것; (과일·채소) 과육
247	**outage**	[ˈaʊ.tɪdʒ]	n. 정전, 단수
248	**indignant**	[ɪnˈdɪɡ.nənt]	a. 분개한, 성난
249	**junction**	[ˈdʒʌŋk.ʃən]	n. 접합, 교차점, 분기점
250	**reign**	[reɪn]	n. 통치 기간 v. 통치하다
251	**comprehend**	[ˌkɒm.prɪˈhend]	v. 이해하다
252	**intact**	[ɪnˈtækt]	a. 완전한, 손상되지 않은
253	**pardon**	[ˈpɑː.dən]	n. 용서 v. 용서하다
254	**abuse**	[əˈbjuːz]	v. 학대하다; 남용하다, 오용하다
255	**posterity**	[pɒsˈter.ə.ti]	n. 자손, 후대
256	**avert**	[əˈvɜːt]	v. (불행한 일을) 피하다, 막다; 돌리다
257	**fuss**	[fʌs]	n. 공연한 소란
258	**acclimate**	[ˈæk.lɪ.meɪt]	v. 새 풍토에 길들이다
259	**embryo**	[ˈem.bri.əʊ]	n. 태아, 배
260	**archive**	[ˈɑː.kaɪv]	n. 기록, 자료 수집
261	**adjudicate**	[əˈdʒuː.dɪ.keɪt]	v. 판결하다, 선고하다
262	**algebra**	[ˈæl.dʒə.brə]	n. 대수학
263	**alleviate**	[əˈliː.vi.eɪt]	v. 경감시키다, 완화시키다
264	**surge**	[sɜːdʒ]	v. 밀어닥치다, 쇄도하다; 급등하다 n. 큰 파도, 격동
265	**wavelength**	[weiˈvleˌŋθ]	n. 주파수, 파장
266	**consort**	[kənˈsɔːt]	v. 사귀다, 어울리다 n. 배우자
267	**moron**	[ˈmɔː.rɒn]	n. 바보 천치, 멍청이
268	**gymnasium**	[dʒɪmˈneɪ.zi.əm]	n. 체육관, (실내) 경기장
269	**abolish**	[əˈbɒl.ɪʃ]	v. 폐지하다, 없애다
270	**anguish**	[ˈæŋ.ɡwɪʃ]	n. 극심한 고통, 고뇌
271	**double back on oneself**		p. 왔던 길로 되돌아가다
272	**pin down**		p. ~을 정확히 밝히다
273	**take a measure**		p. 조치를 취하다
274	**short of breath**		p. 숨이 가쁜, 숨을 쉴 수 없는
275	**at hand**		p. 당면한
276	**by a factor of**		p. ~ 배로
277	**pull out**		p. 철수하다, 빼다, 벗어나다
278	**close call**		p. 위기일발
279	**an array of**		p. 많은
280	**at its highest**		p. 절정에

Day 7 TEST

번호	영어	한글	글자수
1	at hand		
2	pin down		
3	tariff		
4	gymnasium		
5	algebra		
6	archive		
7	rhetorical		
8	outage		
9	by a factor of		
10	take a measure		
11	abolish		
12	indignant		
13	comprehend		
14	acclimate		
15	pull out		
16	junction		
17	pardon		
18	intact		
19	adjudicate		
20	short of breath		

Day 7 TEST

번호	한글	영어	글자수
21	v. 학대하다; 남용하다, 오용하다	a	5
22	p. 왔던 길로 되돌아가다	d	19 (p.)
23	v. 침해하다, 가로채다	a	8
24	n. 상자	c	6
25	n. 자손, 후대	p	9
26	v. 밀어닥치다, 쇄도하다; 급등하다 n. 큰 파도, 격동	s	5
27	n. 바보 천치, 멍청이	m	5
28	p. 위기일발	c	9 (p.)
29	n. 공연한 소란	f	4
30	v. 경감시키다, 완화시키다	a	9
31	p. 절정에	a	12 (p.)
32	n. 극심한 고통, 고뇌	a	7
33	p. 많은	a	9 (p.)
34	n. 주파수, 파장	w	10
35	n. 통치 기간 v. 통치하다	r	5
36	n. 걸쭉한 것; (과일·채소) 과육	p	4
37	n. 태아, 배	e	6
38	v. 사귀다, 어울리다 n. 배우자	c	7
39	v. 권력을 휘두르다	d	8
40	v. (불행한 일을) 피하다, 막다; 돌리다	a	5

종합 TEST

번호	영어	한글	글자수
1	convict		
2	connote		
3	reaction to N		
4	relinquish		
5	an array of		
6	gravel		
7	missionary		
8	naturalize		
9	garb		
10	make the point that		
11	the real deal		
12	suspend		
13	oath		
14	mortify		
15	pin back		
16	take leave		
17	tactful		
18	contribute to N		
19	acclimate		
20	ample		

종합 TEST

번호	한글	영어	글자수
21	n. 얼간이, 멍청이, 바보	d	7
22	v. 섞이다, 어우러지다	m	6
23	n. 견본, 표본	s	8
24	n. 계급, 위계	h	9
25	p. ~을 정확히 밝히다	p	7 (p.)
26	v. 계속해서 일어나다	e	5
27	n. 양자 물리학	q	14 (p.)
28	v. 피켓 시위를 하다	p	6
29	n. 육식동물	c	9
30	a. 전쟁 전의	a	10
31	p. ~을 맡다	t	6 (p.)
32	n. 짧음; 간결	b	7
33	n. 대수학	a	7
34	n. 접합, 교차점, 분기점	j	8
35	n. 지지자	p	9
36	a. 너무 잘 믿는(속기 쉬움)	c	9
37	p. ~로 나아가다	m	14 (p.)
38	n. 걸쭉한 것; (과일·채소) 과육	p	4
39	n. 배우자	s	6
40	n. 악필	c	10

Day 8.

281	**dwindle**	[ˈdwɪn.dəl]	v. 줄어들다, 감소하다, 작아지다
282	**prehensile**	[prɪˈhen.saɪl]	a. 잡기에 적합한; 이해력이 있는
283	**barter**	[ˈbɑː.tər]	n. 물물 교환 v. 물건을 교환하다
284	**confucius**	[kənˈfjuː.ʃəs]	n. 공자(유교의 창시자)
285	**archaic**	[ɑːˈkeɪ.ɪk]	a. 낡은, 오래된
286	**regime**	[reiʒíːm]	n. 정권, 제도, 체제
287	**apparel**	[əˈpær.əl]	n. 옷, 복장, 의류
288	**decry**	[dɪˈkraɪ]	v. 비난하다
289	**atypical**	[eitípikəl]	a. 불규칙의, 비정형의, 이례적인
290	**homage**	[ˈhɒm.ɪdʒ]	n. 경의; 존경의 표시
291	**antedate**	[ˌæn.tiˈdeɪt]	v. ~에 앞서다, 날짜를 앞당기다
292	**malefactor**	[ˈmæl.ɪ.fæk.tər]	n. 죄인, 악인
293	**snuff**	[snʌf]	v. 코를 킁킁거리다; (촛불 같은 것을) 끄다
294	**guile**	[gaɪl]	n. 간교한 속임수
295	**transmittance**	[trænsmítəns]	n. 투과율
296	**erratic**	[irǽtik]	a. 별난, 괴상한, 불규칙한
297	**allege**	[əˈledʒ]	v. 주장하다, 단언하다
298	**parish**	[ˈpær.ɪʃ]	n. 교구; 행정구
299	**fatal**	[ˈfeɪ.təl]	a. 치명적인; 결정적인, 중대한
300	**auxiliary**	[ɔːgˈzɪl.i.ə.ri]	a. 보조의
301	**calculus**	[kǽlkjuləs]	n. 미적분학; 계산법; 석탄
302	**splendid**	[ˈsplen.dɪd]	a. 정말 좋은, 훌륭한
303	**suffocate**	[ˈsʌf.ə.keɪt]	v. 숨을 막다, 질식시키다
304	**stiff**	[stif]	a. 뻣뻣한, 딱딱한; 치열한; 강한 n. 시체
305	**scrutinize**	[ˈskruː.tɪ.naɪz]	v. 세밀히 조사하다
306	**amnesia**	[æmˈniː.zi.ə]	n. 기억상실증
307	**ludicrous**	[ˈluː.dɪ.krəs]	a. 우스운
308	**incur**	[ɪnˈkɜːr]	v. 초래하다; (손실을) 입다, (빚을) 지다
309	**punctual**	[pʌŋkʧuəl]	a. 시간을 엄수하는, 기한을 지키는
310	**corrode**	[kəˈrəʊd]	v. 부식하다
311	**line of attack**		p. 대처 방안
312	**creep over**		p. (공포 따위가) ~을 엄습하다
313	**take up the issue**		p. 그 문제를 상정하다
314	**rooted in**		p. ~에 뿌리를 둔
315	**goods and services**		p. 재화와 용역
316	**fit A like a glove**		p. A에 맞춘 듯이 꼭 맞아떨어지다
317	**wipe out**		p. 멸종시키다
318	**know A by sight**		p. A와 안면은 있다
319	**as ever**		p. 변함없이
320	**at length**		p. 오랫동안, 상세히

Day 8 TEST

번호	영어	한글	글자수
1	auxiliary		
2	parish		
3	homage		
4	confucius		
5	regime		
6	archaic		
7	malefactor		
8	creep over		
9	allege		
10	know A by sight		
11	corrode		
12	stiff		
13	snuff		
14	incur		
15	guile		
16	erratic		
17	antedate		
18	prehensile		
19	as ever		
20	apparel		

Day 8 TEST

번호	한글	영어	글자수
21	v. 줄어들다, 감소하다, 작아지다	d	7
22	a. 불규칙의, 비정형의, 이례적인	a	8
23	p. ~에 뿌리를 둔	r	8 (p.)
24	a. 치명적인; 결정적인, 중대한	f	5
25	a. 정말 좋은, 훌륭한	s	8
26	p. 재화와 용역	g	16 (p.)
27	n. 미적분학; 계산법; 석탄	c	8
28	n. 기억상실증	a	7
29	v. 비난하다	d	5
30	p. 대처 방안	l	12 (p.)
31	p. 멸종시키다	w	7 (p.)
32	n. 투과율	t	13
33	n. 물물 교환 v. 물건을 교환하다	b	6
34	v. 숨을 막다, 질식시키다	s	9
35	p. 오랫동안, 상세히	a	8 (p.)
36	p. A에 맞춘 듯이 꼭 맞아떨어지다	f	14 (p.)
37	a. 시간을 엄수하는, 기한을 지키는	p	8
38	a. 우스운	l	9
39	v. 세밀히 조사하다	s	10
40	p. 그 문제를 상정하다	t	14 (p.)

종합 TEST

번호	영어	한글	글자수
1	quantum physics		
2	line of attack		
3	polarity		
4	tribute		
5	picket		
6	belligerent		
7	audiovisual		
8	intact		
9	incur		
10	take A further		
11	lay off		
12	suspend		
13	repulse		
14	wipe out		
15	subside		
16	confucius		
17	scrutinize		
18	as ever		
19	spouse		
20	odometer		

종합 TEST

번호	한글	영어	글자수
21	p. 처음부터, 처음에	a	11 (p.)
22	a. 만질 수 있는, 유형의	t	8
23	a. 겸손한, 자기를 낮추는	h	6
24	v. 붙어 있다, 인접하다	a	6
25	a. 풍부한	a	8
26	p. ~ 배로	b	11 (p.)
27	p. ~에게 승리하다	t	11 (p.)
28	a. 상호 배타적인	m	17 (p.)
29	v. 취임시키다, 입문시키다; 전수하다	i	6
30	a. 보조의	a	9
31	n. 태아, 배	e	6
32	c. ~에도 불구하고	n	15
33	v. 배회하다, 살금살금 거닐다; 빌붙다	m	5
34	p. ~을 제외하고	e	10 (p.)
35	a. 토착의, 원주민의	i	10
36	a. 치명적인; 결정적인, 중대한	f	5
37	n. 목장	r	5
38	n. 돌풍, 센바람	b	5
39	v. 포기하다, 양도하다, 단념하다	r	10
40	v. 눈이 부시게 하다 n. 눈부심, 황홀함	d	6

Day 9.

321	trousers	[ˈtraʊ.zəz]	n. (남성용) 바지
322	rodent	[ˈrəʊ.dənt]	a. 설치류의 n. 설치류 동물, 쥐
323	assumedly	[əsú:midli]	adv. 아마
324	rustic	[ˈrʌs.tɪk]	a. 시골풍의
325	progeny	[ˈprɒdʒ.ə.ni]	n. 자손
326	unison	[ˈju:.nɪ.sən]	n. 일치, 조화
327	tactile	[ˈtæk.taɪl]	a. 촉각의
328	snore	[snɔ:r]	v. 코를 골다
329	asterisk	[ˈæs.tər.ɪsk]	n. 별표
330	frown	[fraʊn]	n. 찡그림 v. 눈살을 찌푸리다
331	confer	[kənˈfɜ:r]	v. 주다, 수여하다; 상담하다
332	ail	[eɪl]	v. 괴롭히다, 아프게 하다
333	amenity	[əˈmi:.nə.ti]	n. 예의; 편의시설
334	crook	[krʊk]	n. 구부리다; 사기꾼
335	assimilate	[əˈsɪm.ɪ.leɪt]	v. 동화되다, 동화하다; 소화하다; 이해하다
336	renounce	[rɪˈnaʊns]	v. ~을 포기하다, 버리다; 관계를 끊다
337	loop	[lu:p]	n. 고리 (모양); 루프
338	backdrop	[ˈbæk.drɒp]	n. 배경
339	rash	[ræʃ]	n. 발진, 뾰루지 a. 성급한
340	sermon	[ˈsɜ:.mən]	n. 설교
341	avocation	[ˌæv.əˈkeɪ.ʃən]	n. 부업; 취미
342	stray	[strei]	v. 길을 잃다; 벗어나다
343	falsehood	[ˈfɒls.hʊd]	n. 허위, 거짓말
344	deject	[didʒékt]	v. 낙담시키다
345	timorous	[ˈtɪm.ər.əs]	a. 겁 먹은
346	extrude	[ɪkˈstru:d]	v. 밀어내다, 쫓아내다
347	dipole	[dáipòul]	n. 이중극, 쌍극자
348	oat	[əʊt]	n. 귀리
349	aviation	[ˌeɪ.viˈeɪ.ʃən]	n. 항공(술)
350	reproach	[rɪˈprəʊtʃ]	n. 비난, 책망 v. 비난하다
351	call names		p. 욕하다, 맞욕하다
352	be done with		p. ~을 끝내다
353	grow on		p. 점점 좋아지다, 마음에 들다
354	go well with		p. 잘 어울리다
355	little short of		p. ~와 거의 동일하다, ~에 미치지 못하다
356	hot under the collar		p. 화가 난, 당혹해 하는
357	in a big way		p. 대규모로
358	in any event		p. 아무튼, 어떤 경우에도
359	hold back		p. 막다, 제지하다
360	as far as it goes		p. 그 정도까지

Day 9 TEST

번호	영어	한글	글자수
1	tactile		
2	backdrop		
3	falsehood		
4	sermon		
5	assumedly		
6	hold back		
7	extrude		
8	asterisk		
9	reproach		
10	oat		
11	frown		
12	in any event		
13	little short of		
14	go well with		
15	renounce		
16	unison		
17	snore		
18	dipole		
19	loop		
20	rodent		

Day 9 TEST

번호	한글	영어	글자수
21	p. 욕하다, 맞욕하다	c	9 (p.)
22	n. 자손	p	7
23	v. 동화되다, 동화하다; 소화하다; 이해하다	a	10
24	n. 발진, 뾰루지 a. 성급한	r	4
25	a. 시골풍의	r	6
26	p. 화가 난, 당혹해 하는	h	17 (p.)
27	a. 겁 먹은	t	8
28	v. 주다, 수여하다; 상담하다	c	6
29	n. 부업; 취미	a	9
30	n. 예의; 편의시설	a	7
31	n. 구부리다; 사기꾼	c	5
32	n. (남성용) 바지	t	8
33	p. 점점 좋아지다, 마음에 들다	g	6 (p.)
34	p. 대규모로	i	9 (p.)
35	v. 괴롭히다, 아프게 하다	a	3
36	p. 그 정도까지	a	13 (p.)
37	v. 길을 잃다; 벗어나다	s	5
38	v. 낙담시키다	d	6
39	n. 항공(술)	a	8
40	p. ~을 끝내다	b	10 (p.)

종합 TEST

번호	영어	한글	글자수
1	cringe		
2	audiovisual		
3	ingrain		
4	asterisk		
5	transgress		
6	congregate		
7	pardon		
8	brute		
9	intact		
10	confucius		
11	abuse		
12	intermit		
13	avocation		
14	oath		
15	controversy		
16	recede		
17	connote		
18	timorous		
19	trousers		
20	acquisitiveness		

종합 TEST

번호	한글	영어	글자수
21	a. 토착의, 원주민의	i	10
22	v. 숨을 막다, 질식시키다	s	9
23	n. 목장	r	5
24	a. 불필요한, 여분의	s	11
25	p. 더 자세히 살펴보면	o	18 (p.)
26	n. 보조금(pl. subsidies)	s	7
27	n. 짧음; 간결	b	7
28	n. 천연두	p	3
29	n. 헌사, 공물	t	7
30	v. 경감시키다, 완화시키다	a	9
31	adv. 아마	a	9
32	n. 실질적인 것, 진짜	t	11 (p.)
33	n. 상자	c	6
34	n. 자갈	g	6
35	n. 신학	t	8
36	a. 미묘한, 감지하기 힘든, 교묘한	s	6
37	a. 상호 배타적인	m	17 (p.)
38	v. 취임시키다, 입문시키다; 전수하다	i	6
39	a. 끊임없이 계속되는, 영원한; 빈번한	p	9
40	v. 포기하다, 양도하다, 단념하다	r	10

Day 10.

361	advert	[ˈæd.vɜːt]	v. 언급하다; 주목하다
362	dilute	[daɪˈluːt]	v. 묽게 하다; 약하게 하다
363	replicate	[ˈrep.lɪ.keɪt]	v. 복제하다; 모사하다 a. 반복된
364	descry	[diskrái]	v. (먼 것을) 발견하다
365	annul	[əˈnʌl]	v. 무효로 하다, 취소하다, 폐지하다
366	lodge	[lɒdʒ]	v. 하숙하다, (일시적으로) 머무르다 n. 오두막집
367	absurd	[əbˈsɜːd]	a. 터무니 없는, 불합리한 n. 부조리, 불합리
368	gill	[gɪl]	n. 아가미
369	entreat	[ɪnˈtriːt]	v. 간청하다
370	levy	[ˈlev.i]	n. 세금 징수 v. 부과하다, 징수하다
371	gaze	[geɪz]	v. 응시하다, 바라보다
372	polytheism	[pάliθiːizm]	n. 다신론, 다신교
373	grin	[grɪn]	v. 활짝 웃다
374	recant	[rɪˈkænt]	v. 취소하다, 철회하다
375	poignant	[pɔ́injənt]	a. 마음 아픈, 신랄한
376	conversant	[kənvə́ːrsənt]	a. ~에 정통한, 잘 알고 있는
377	denounce	[dɪˈnaʊns]	v. ~을 비난하다
378	relic	[ˈrel.ɪk]	n. 유물, 유적
379	artery	[ˈɑː.tər.i]	n. 동맥; 주요 도로
380	reptile	[ˈrep.taɪl]	n. 파충류
381	swarm	[swɔːm]	n. 무리, 떼; 벌 떼 v. 무리를 지어 다니다
382	pasture	[ˈpɑːs.tʃər]	n. 목초지, 방목지, 초원
383	transfuse	[trænsˈfjuːz]	v. 수혈하다
384	facile	[ˈfæs.aɪl]	a. 손쉬운, 수월한
385	despond	[dispάnd	vi. 낙심하다, 실망하다
386	absently	[ˈæb.sənt.li]	adv. 멍하니
387	celerity	[səˈler.ə.ti]	n. 신속, 민첩
388	dismal	[ˈdɪz.məl]	a. 암울한, 음습한
389	subdue	[səbˈdʒuː]	v. 진압하다, 억누르다
390	ruddy	[rΛdi]	a. 붉은, 불그레한; 혈색이 좋은
391	cross one's fingers		p. 행운을 빌다
392	write a good hand		p. 글씨를 잘 쓰다
393	more of		p. ~중에 많이, 더, 더 많이
394	in proportion to		p. ~에 비례하여
395	poke one's nose into		p. 간섭하다, ~을 꼬치꼬치 캐묻다
396	have a hand in		p. ~에 관여하다
397	include out		p. ~을 제외하다, 빼다
398	/e a good head on one's should		p. 머리가 좋다, 분별이 있다
399	by usage		p. 사용에 따라, 관행상
400	to begin with		p. 우선은, 먼저

Day 10 TEST

번호	영어	한글	글자수
1	dismal		
2	by usage		
3	polytheism		
4	relic		
5	gill		
6	facile		
7	advert		
8	descry		
9	grin		
10	replicate		
11	cross one's fingers		
12	conversant		
13	absurd		
14	more of		
15	subdue		
16	transfuse		
17	artery		
18	reptile		
19	dilute		
20	denounce		

Day 10 TEST

번호	한글	영어	글자수
21	p. ~에 비례하여	i	14 (p.)
22	v. 간청하다	e	7
23	p. 머리가 좋다, 분별이 있다	h	29 (p.)
24	n. 목초지, 방목지, 초원	p	7
25	n. 신속, 민첩	c	8
26	v. 취소하다, 철회하다	r	6
27	p. 간섭하다, ~을 꼬치꼬치 캐묻다	p	17 (p.)
28	p. 글씨를 잘 쓰다	w	14 (p.)
29	vi. 낙심하다, 실망하다	d	7
30	v. 응시하다, 바라보다	g	4
31	n. 세금 징수 v. 부과하다, 징수하다	l	4
32	a. 붉은, 불그레한; 혈색이 좋은	r	5
33	v. 하숙하다, (일시적으로) 머무르다 n. 오두막집	l	5
34	p. 우선은, 먼저	t	11 (p.)
35	v. 무효로 하다, 취소하다, 폐지하다	a	5
36	adv. 멍하니	a	8
37	n. 무리, 떼; 벌 떼 v. 무리를 지어 다니다	s	5
38	p. ~을 제외하다, 빼다	i	10 (p.)
39	p. ~에 관여하다	h	11 (p.)
40	a. 마음 아픈, 신랄한	p	8

종합 TEST

번호	영어	한글	글자수
1	adorn		
2	subdue		
3	algebra		
4	audiovisual		
5	calculus		
6	confer		
7	ample		
8	suboptimal		
9	vintage		
10	oat		
11	ingrain		
12	rodent		
13	recede		
14	acquit		
15	despond		
16	take leave		
17	append		
18	call names		
19	backdrop		
20	recant		

종합 TEST

번호	한글	영어	글자수
21	p. 대처 방안	l	12 (p.)
22	a. 겸손한, 자기를 낮추는	h	6
23	a. 마음 아픈, 신랄한	p	8
24	p. 잘 어울리다	g	10 (p.)
25	p. 절정에	a	12 (p.)
26	p. 왔던 길로 되돌아가다	d	19 (p.)
27	p. 한 눈에, 즉시	a	9 (p.)
28	a. 터무니 없는, 불합리한 n. 부조리, 불합리	a	6
29	a. 고독한, 혼자의	s	8
30	n. 발진, 뾰루지 a. 성급한	r	4
31	p. ~로 과감히 들어가보다	v	11 (p.)
32	n. 세금 징수 v. 부과하다, 징수하다	l	4
33	p. 사라지다, 없어지다	s	8 (p.)
34	n. 곡예사, (정치적 의견, 주의 등의) 변절자	a	7
35	p. 잘못이 있는, 책임이 있는	a	7 (p.)
36	v. 계속해서 일어나다	e	5
37	p. 대규모로	i	9 (p.)
38	a. 손쉬운, 수월한	f	6
39	a. 낡은, 오래된	a	7
40	v. 낙담시키다	d	6

Day 11.

401	**quantum**	[ˈkwɒn.təm]	n. 양자
402	**proximity**	[praksíməti]	n. 근접
403	**complicit**	[kəmˈplɪs.ɪt]	a. 가담한, 공모한, 공범의
404	**levity**	[ˈlev.ə.ti]	n. 경솔, 변덕, 경솔한 행위
405	**cabbage**	[ˈkæb.ɪdʒ]	n. 양배추
406	**adverse**	[ˈæd.vɜːs]	a. 반대의, 역의; 불리한
407	**declare**	[dɪˈkleər]	v. 단언하다, 공언하다
408	**dispute**	[dɪˈspjuːt]	v. 반박하다, 논쟁하다; 싸움, 논쟁
409	**humiliate**	[hjuːˈmɪl.i.eɪt]	v. 굴욕감을 주다, 자존심을 상하게 하다
410	**chubby**	[ˈtʃʌb.i]	a. 통통한, 토실토실한
411	**trump**	[trʌmp]	v. 으뜸패를 내다; 이기다
412	**aborigine**	[æbərídʒəniː]	n. (특히 오스트레일리아의) 원주민, 토착민
413	**gross**	[grəʊs]	n. 총 a. 중대한; 역겨운
414	**absolve**	[əbˈzɒlv]	v. 면제하다, 용서하다, 사면하다
415	**feast**	[fiːst]	n. 연회, 잔치, 축제일 v. 맘껏 먹다, 포식하다
416	**exalt**	[ɪgˈzɒlt]	v. (지위·권력·명예 등을) 높이다, 찬미하다
417	**juvenile**	[ˈdʒuː.vən.aɪl]	a. 젊은
418	**intoxicate**	[ɪnˈtɒk.sɪ.keɪt]	v. 취하게 하다, 도취시키다
419	**authentic**	[ɔːˈθen.tɪk]	a. 진정한, 진짜의
420	**repeal**	[rɪˈpiːl]	v. ~을 취소하다, 폐지하다
421	**agony**	[ǽgəni]	n. 몸부림, 고통
422	**penitent**	[pénətənt]	a. 참회하는, 뉘우치는 n. 참회자
423	**pensive**	[ˈpen.sɪv]	a. 생각에 잠긴
424	**denature**	[diːˈneɪ.tʃər]	v. 변성시키다, 성질을 바꾸다
425	**maze**	[meɪz]	n. 미로; 혼란
426	**recess**	[rɪˈses]	n. 휴식; 후미진 곳
427	**utilitarianism**	[juːtilətέəriənìzm]	n. 공리주의
428	**inflict**	[ɪnˈflɪkt]	v. 고통을 가하다, 주다
429	**rust**	[rʌst]	n. 녹 v. 녹슬다, 부식하다
430	**haul**	[hɔːl]	v. 끌다, 운반하다
431	**make believe**		p. 체하다, ~처럼 보이게 하다
432	**come off**		p. 성공하다, 떨어지다
433	**by a hair's breadth**		p. 간신히, 겨우, 아슬아슬하게
434	**in this regard**		p. 이 점에 있어서는
435	**lose the day**		p. 승부에 지다
436	**sort out**		p. 해결하다
437	**at one's wit's end**		p. 어찌할 바를 몰라
438	**on the tube**		p. 텔레비전에
439	**What with A and B**		p. A 그리고 B 때문에
440	**shelf-stable**		p. 상온에서 오래 상하지 않는

Day 11 TEST

번호	영어	한글	글자수
1	trump		
2	in this regard		
3	inflict		
4	complicit		
5	at one's wit's end		
6	What with A and B		
7	sort out		
8	lose the day		
9	quantum		
10	pensive		
11	repeal		
12	levity		
13	penitent		
14	proximity		
15	on the tube		
16	exalt		
17	dispute		
18	maze		
19	declare		
20	agony		

Day 11 TEST

번호	한글	영어	글자수
21	n. 공리주의	u	14
22	n. 연회, 잔치, 축제일 v. 맘껏 먹다, 포식하다	f	5
23	v. 끌다, 운반하다	h	4
24	a. 진정한, 진짜의	a	9
25	n. 총 a. 중대한; 역겨운	g	5
26	a. 통통한, 토실토실한	c	6
27	v. 굴욕감을 주다, 자존심을 상하게 하다	h	9
28	a. 젊은	j	8
29	p. 상온에서 오래 상하지 않는	s	12
30	v. 취하게 하다, 도취시키다	i	10
31	v. 변성시키다, 성질을 바꾸다	d	8
32	n. 양배추	c	7
33	n. (특히 오스트레일리아의) 원주민, 토착민	a	9
34	n. 휴식; 후미진 곳	r	6
35	a. 반대의, 역의; 불리한	a	7
36	n. 녹 v. 녹슬다, 부식하다	r	4
37	p. 성공하다, 떨어지다	c	7 (p.)
38	p. 간신히, 겨우, 아슬아슬하게	b	16 (p.)
39	v. 면제하다, 용서하다, 사면하다	a	7
40	p. 체하다, ~처럼 보이게 하다	m	11 (p.)

종합 TEST

번호	영어	한글	글자수
1	roam		
2	void		
3	authentic		
4	grin		
5	audiovisual		
6	as far as it goes		
7	suboptimal		
8	hold back		
9	lodge		
10	transfuse		
11	school supplies		
12	in a split second		
13	What with A and B		
14	at hand		
15	bear with		
16	marinate		
17	contour		
18	cane		
19	pin back		
20	in proportion to		

종합 TEST

번호	한글	영어	글자수
21	n. 약체, 약자	u	8
22	n. 몸부림, 고통	a	5
23	v. 반박하다, 논쟁하다; 싸움, 논쟁	d	7
24	a. 깊이 배어든, 뿌리 깊은	i	7
25	a. 이성애의	h	12
26	n. 인도주의자 a. 인도주의적인, 인간애의	h	12
27	p. 간섭하다, ~을 꼬치꼬치 캐묻다	p	17 (p.)
28	a. 분개한, 성난	i	9
29	n. 재판권; 관할권	j	12
30	n. 양배추	c	7
31	p. 왔던 길로 되돌아가다	d	19 (p.)
32	p. 더 자세히 살펴보면	o	18 (p.)
33	n. 무리, 떼; 벌 떼 v. 무리를 지어 다니다	s	5
34	n. 가난	p	7
35	p. 아무튼, 어떤 경우에도	i	10 (p.)
36	p. 해결하다	s	7 (p.)
37	p. 추상적으로, 관념적으로	i	13 (p.)
38	p. ~의 나이로	a	10 (p.)
39	v. 이해하다, 염려하다; 체포하다	a	9
40	n. 짧음; 간결	b	7

Day 12.

441	pollen	[ˈpɒl.ən]	n. 꽃가루, 화분
442	petroleum	[pəˈtrəʊ.li.əm]	n. 석유
443	adjourn	[əˈdʒɜːn]	v. 휴회하다, 중단하다, 연기하다; 자리를 옮기다
444	fame	[feɪm]	n. 명성, 평판
445	awe	[ɔː]	n. 경외심 v. 경외심을 느끼다
446	blossom	[ˈblɒs.əm]	v. 꽃이 피다 n. 개화; 건강한 혈색
447	detain	[dɪˈteɪn]	v. 붙잡아두다
448	pitfall	[ˈpɪt.fɔːl]	n. 함정, 위험
449	stake	[steɪk]	n. 돈, 지분; 말뚝, 기둥; 화형
450	confront	[kənˈfrʌnt]	v. 맞서다, 대항하다; 들이대다
451	impromptu	[imprάmptjuː]	a. 즉석의 adv. 즉흥으로
452	audit	[ˈɔː.dɪt]	n. 회계 감사, 심사; 청강 v. 청강하다
453	parlor	[ˈpɑːr.lɚ]	n. 응접실, 가게, 거실
454	jest	[dʒest]	n. 농담, 조롱 v. 농담하다
455	nasal	[ˈneɪ.zəl]	a. 코의, 콧소리의
456	redeem	[rɪˈdiːm]	v. ~을 되찾다; 메우다, 보상하다; 구하다
457	heir	[eər]	n. 상속인 , 후계자
458	pungent	[ˈpʌn.dʒənt]	a. 신랄한
459	plea	[pliː]	n. 애원, 간청, 답변
460	intersperse	[ˌɪn.təˈspɜːs]	v. 흩뿌리다; 점재시키다
461	sleeve	[sliːv]	n. 소매, 소맷자락
462	orphan	[ˈɔː.fən]	n. 고아 v. 고아로 만들다
463	mundane	[mʌnˈdeɪn]	a. 일상적인, 재미없는 n. 세속
464	constable	[ˈkʌn.stə.bəl]	n. 치안관, 순경, 경관
465	conspire	[kənspáiər]	v. 음모를 꾸미다; 공모하다
466	trepid	[trépid]	a. 겁내는, 두려워하는
467	meadow	[ˈmed.əʊ]	n. 목초지, 초원
468	calf	[kɑːf]	n. 송아지, 새끼; 종아리
469	longevity	[lɒnˈdʒev.ə.ti]	n. 장수; 수명
470	numb	[nʌm]	a. 감각이 없는, 멍한
471	let on		p. 비밀을 털어놓다
472	make it a rule to do		p. ~하는 것을 규칙으로 삼다
473	lay the foundation		p. 기초 공사를 하다, 기초를 놓다
474	for this once		p. 이번만은
475	in the raw		p. 자연 그대로의, 날것 그대로의, 벌거벗고
476	gain access to		p. ~에 접근하다, ~와 면회하다
477	green thumb		p. 식물 재배의 재능
478	hold onto		p. ~에 매달리다, 꼭 잡다
479	public domain		p. 공유
480	vhat with one thing and anothe		p. 이런 저런 일들 때문에 (바빠서)

Day 12 TEST

번호	영어	한글	글자수
1	let on		
2	longevity		
3	audit		
4	mundane		
5	what with one thing and another		
6	public domain		
7	make it a rule to do		
8	in the raw		
9	green thumb		
10	adjourn		
11	petroleum		
12	blossom		
13	detain		
14	parlor		
15	pollen		
16	sleeve		
17	awe		
18	hold onto		
19	numb		
20	gain access to		

Day 12 TEST

번호	한글	영어	글자수
21	v. ~을 되찾다; 메우다, 보상하다; 구하다	r	6
22	n. 상속인 , 후계자	h	4
23	a. 겁내는, 두려워하는	t	6
24	a. 코의, 콧소리의	n	5
25	v. 맞서다, 대항하다; 들이대다	c	8
26	n. 치안관, 순경, 경관	c	9
27	n. 돈, 지분; 말뚝, 기둥; 화형	s	5
28	p. 이번만은	f	11 (p.)
29	n. 목초지, 초원	m	6
30	v. 음모를 꾸미다; 공모하다	c	8
31	p. 기초 공사를 하다, 기초를 놓다	l	16 (p.)
32	n. 송아지, 새끼; 종아리	c	4
33	n. 명성, 평판	f	4
34	a. 즉석의 adv. 즉흥으로	i	9
35	n. 애원, 간청, 답변	p	4
36	n. 고아 v. 고아로 만들다	o	6
37	n. 농담, 조롱 v. 농담하다	j	4
38	v. 흩뿌리다; 점재시키다	i	11
39	n. 함정, 위험	p	7
40	a. 신랄한	p	7

종합 TEST

번호	영어	한글	글자수
1	barter		
2	acquit		
3	vintage		
4	feasible		
5	on the tube		
6	junction		
7	take place		
8	homage		
9	credulous		
10	cringe		
11	rust		
12	impromptu		
13	plum		
14	recede		
15	come out ahead		
16	apprehend		
17	be skilled in		
18	at a 형 pace		
19	in this regard		
20	the masses		

종합 TEST

번호	한글	영어	글자수
21	p. ~의 비율로	a	11 (p.)
22	v. 모이다, 집합시키다	c	10
23	p. 대처 방안	l	12 (p.)
24	p. ~에 접근하다, ~와 면회하다	g	12 (p.)
25	p. ~과 협의하다	c	10 (p.)
26	p. 처음부터, 처음에	a	11 (p.)
27	n. 미적분학; 계산법; 석탄	c	8
28	n. 산수, 연산	a	10
29	n. 상자	c	6
30	v. 유죄를 선고하다 n. 죄수	c	7
31	n. 악필	c	10
32	v. 숨을 막다, 질식시키다	s	9
33	a. 촉각의	t	7
34	n. 척추, 등뼈; 가시	s	5
35	v. ~을 비난하다	d	8
36	p. ~을 제외하고	e	10 (p.)
37	n. 시내, 개울	r	7
38	v. 주다, 수여하다; 상담하다	c	6
39	n. 회귀선, 열대 지방 a. 열대 지방의	t	6
40	p. ~에 관여하다	h	11 (p.)

Day 13.

481	**ruth**	[rú:θ]	n. 슬픔, 비애, 후회: 불운, 재난
482	**accession**	[əkˈseʃ.ən]	n. 취임, 계승; 동의; 부가, 부가물
483	**ponder**	[ˈpɒn.dər]	v. 곰곰이 생각하다, 심사숙고하다
484	**consolidate**	[kənsάlədèit]	v. 합병하다; 강화하다
485	**slumber**	[ˈslʌm.bər]	n. 잠, 수면 v. 잠자다
486	**accede**	[əkˈsi:d]	vi. 응하다, 동의하다; 취임하다 (to)
487	**reindeer**	[ˈreɪn.dɪər]	n. 순록
488	**miscarry**	[mɪˈskær.i]	v. 실패하다, 유산하다
489	**dignity**	[ˈdɪg.nə.ti]	n. 위엄, 존엄
490	**acrophobia**	[ˌæk.rəˈfəʊ.bi.ə]	n. 고소 공포증
491	**antidote**	[ˈæn.ti.dəʊt]	n. 해독, 소독
492	**aggrandize**	[əgrǽndaiz]	v. 확대하다, 강화하다, 증대시키다
493	**conceit**	[kənˈsi:t]	n. 자만심, 자부심
494	**dwarf**	[dwɔ:f]	n. 난쟁이
495	**corridor**	[ˈkɒr.ɪ.dɔ:r]	n. 복도
496	**contiguous**	[kənˈtɪg.ju.əs]	a. 맞닿아 있는, 인접한; 연속된
497	**progency**	[prάdʒəni]	n. 자식, 자손; 결과
498	**pneumonia**	[nju:ˈməʊ.ni.ə]	n. 폐렴
499	**artifice**	[ˈɑ:.tɪ.fɪs]	n. 계략, 관계, 술책
500	**abort**	[əˈbɔ:t]	v. [낙태]하다, 유산하다; 중단하다, 실패하다
501	**hatch**	[hætʃ]	v. 부화하다
502	**clamorous**	[ˈklæm.ər.əs]	a. 시끄러운
503	**solidify**	[səlídəfài]	v. 응고하다; 단결하다; 확고해지다
504	**eloquent**	[ˈel.ə.kwənt]	a. 웅변을 잘하는, 유창한
505	**populist**	[ˈpɒp.jə.lɪst]	a. 인민주의의, 인민당의 n. 포퓰리스트, 인민주의자
506	**virgin**	[ˈvɜ:.dʒɪn]	n. 처녀, 성모 a. 순수한
507	**abhor**	[əˈbhɔ:r]	v. 혐오하다
508	**deteriorate**	[dɪˈtɪə.ri.ə.reɪt]	v. 떨어뜨리다
509	**contrive**	[kənˈtraɪv]	v. 고안하다, 궁리하다, 꾀하다
510	**notorious**	[noutɔ́:riəs]	a. 악명이 높은
511	**make allowance for**		p. 아량을 베풀다
512	**of service**		p. 쓸모 있는, 유익한
513	**draw a deep breath**		p. 심호흡을 하다
514	**stand out**		p. 두드러지다, 눈에 띄다
515	**what A like**		p. A는 어떠한가?
516	**well off**		p. 부유한; 충분한
517	**look on**		p. 구경하다
518	**a visit from the stork**		p. 아기의 출생
519	**rip off**		p. 뜯어내다, 훔치다
520	**phase in**		p. 단계적으로 도입하다

Day 13 TEST

번호	영어	한글	글자수
1	abort		
2	ponder		
3	dwarf		
4	conceit		
5	draw a deep breath		
6	abhor		
7	miscarry		
8	virgin		
9	stand out		
10	reindeer		
11	look on		
12	dignity		
13	antidote		
14	make allowance for		
15	slumber		
16	corridor		
17	what A like		
18	phase in		
19	acrophobia		
20	hatch		

Day 13 TEST

번호	한글	영어	글자수
21	v. 응고하다; 단결하다; 확고해지다	s	8
22	a. 악명이 높은	n	9
23	vi. 응하다, 동의하다; 취임하다 (to)	a	6
24	a. 웅변을 잘하는, 유창한	e	8
25	p. 아기의 출생	a	18 (p.)
26	p. 뜯어내다, 훔치다	r	6 (p.)
27	n. 계략, 관계, 술책	a	8
28	n. 자식, 자손; 결과	p	8
29	a. 맞닿아 있는, 인접한; 연속된	c	10
30	v. 확대하다, 강화하다, 증대시키다	a	10
31	n. 취임, 계승; 동의; 부가, 부가물	a	9
32	n. 슬픔, 비애, 후회: 불운, 재난	r	4
33	v. 떨어뜨리다	d	11
34	a. 시끄러운	c	9
35	v. 합병하다; 강화하다	c	11
36	v. 고안하다, 궁리하다, 꾀하다	c	8
37	a. 인민주의의, 인민당의 n. 포퓰리스트, 인민주의자	p	8
38	p. 쓸모 있는, 유익한	o	9 (p.)
39	p. 부유한; 충분한	w	7 (p.)
40	n. 폐렴	p	9

종합 TEST

번호	영어	한글	글자수
1	miscarry		
2	acrobat		
3	voyage		
4	line of attack		
5	take a measure		
6	rooted in		
7	petroleum		
8	falter		
9	punctual		
10	congregate		
11	antinomy		
12	sojourn		
13	chubby		
14	aggrandize		
15	vigor		
16	gravel		
17	adjoin		
18	asterisk		
19	rise to the bait		
20	acquit		

종합 TEST

번호	한글	영어	글자수
21	n. 장수; 수명	l	9
22	n. 보조금(pl. subsidies)	s	7
23	n. 자두	p	4
24	v. 학대하다; 남용하다, 오용하다	a	5
25	v. 붙잡아두다	d	6
26	a. 완전한, 손상되지 않은	i	6
27	a. 정말 좋은, 훌륭한	s	8
28	p. 화가 난, 당혹해 하는	h	17 (p.)
29	p. 승부에 지다	l	10 (p.)
30	p. ~ 배로	b	11 (p.)
31	n. 치안관, 순경, 경관	c	9
32	p. 한꺼번에, 동시에; 일찍이, 한 때	a	9 (p.)
33	v. 모으다, 축적하다	a	5
34	p. 숨이 가쁜, 숨을 쉴 수 없는	s	13 (p.)
35	a. 겁내는, 두려워하는	t	6
36	a. 텅 빈 / n. 공간	v	4
37	p. ~을 제외하고	e	10 (p.)
38	n. 간교한 속임수	g	5
39	n. 줄기; 지팡이	c	4
40	a. 강변의	r	8

Day 14.

521	retina	[ˈret.ɪ.nə]	n. 망막
522	gourmet	[ˈgɔː.meɪ]	n. 미식가
523	heredity	[hɪˈred.ə.ti]	n. 유전
524	relegate	[ˈrel.ɪ.geɪt]	v. ~을 내쫓다, 좌천시키다
525	asperse	[əspə́:rs]	v. 헐뜯다, 비방하다
526	methodical	[məˈθɒd.ɪ.kəl]	a. 질서 정연한, 조직적인
527	compensate	[ˈkɒm.pən.seɪt]	v. 보충하다; 보상하다
528	plunge	[plʌndʒ]	v. 던져넣다; 뛰어들다; 급락하다
529	discern	[dɪˈsɜːn]	v. 식별하다, 분별하다
530	scant	[skænt]	a. 거의 없는, 부족한
531	crucial	[ˈkruː.ʃəl]	a. 중요한, 결정적인
532	repent	[rɪˈpent]	v. 뉘우치다, 회개하다
533	rehabilitate	[ˌriː.həˈbɪl.ɪ.teɪt]	v. 원상태로 돌리다, 사회에 복귀시키다
534	flesh	[fleʃ]	n. 살, 고기, 육체
535	reparation	[ˌrep.əˈreɪ.ʃən]	n. 보상(금)
536	expire	[ɪkˈspaɪər]	v. 만기가 되다, 끝나다
537	fungus	[ˈfʌŋ.gəs]	n. 균류, 곰팡이류; 균상종
538	banish	[ˈbæn.ɪʃ]	v. 명령으로 추방하다
539	vinegar	[ˈvɪn.ɪ.gər]	n. 식초
540	marvelous	[mɑ́:rvələs]	a. 훌륭한, 흥미로운
541	seduce	[sɪˈdʒuːs]	v. 부추기다; 매혹시키다
542	haze	[heɪz]	n. 연무, 실안개; 희부연 것 v. 연무로 뒤덮이다
543	liberal	[ˈlɪb.ər.əl]	a. 관대한, 개방적인; 자유주의의
544	interwine	[intərtwaiˈn]	v. 뒤얽히게 하다, 관련지우다, 꼬아 짜다
545	distend	[disténd]	v. 팽창시키다
546	virtu	[və:rtú:]	n. 가치, 골동적 가치
547	villain	[ˈvɪl.ən]	n. 악인, 악한
548	creep	[kri:p]	v. 서서히 움직이다, 기어가다
549	grudge	[grʌdʒ]	n. 원한, 유감
550	spank	[spæŋk]	v. 찰싹 때리다
551	make my day		p. 좋아, 한 번 해봐
552	wear out		p. 지치게 하다; 닳아서 헤지다
553	miss a beat		p. 순간적으로 주저하다
554	in search of		p. ~을 찾아서
555	leave a mark on		p. ~에 큰 영향을 미치다
556	serve two ends		p. 일거양득이다
557	be pressed for		p. ~이 쪼들리다, 내쫓기다
558	nothing but		p. 오직, 그저 ~일 뿐
559	iron out		p. 해결하다; 다리미질하다
560	track down		p. ~을 추적하다, 찾아내다

Day 14 TEST

번호	영어	한글	글자수
1	make my day		
2	fungus		
3	serve two ends		
4	grudge		
5	spank		
6	leave a mark on		
7	reparation		
8	heredity		
9	expire		
10	plunge		
11	villain		
12	repent		
13	iron out		
14	scant		
15	miss a beat		
16	interwine		
17	flesh		
18	distend		
19	be pressed for		
20	wear out		

Day 14 TEST

번호	한글	영어	글자수
21	n. 식초	v	7
22	v. 부추기다; 매혹시키다	s	6
23	v. 원상태로 돌리다, 사회에 복귀시키다	r	12
24	v. ~을 내쫓다, 좌천시키다	r	8
25	p. ~을 추적하다, 찾아내다	t	9 (p.)
26	a. 관대한, 개방적인; 자유주의의	l	7
27	p. ~을 찾아서	i	10 (p.)
28	a. 질서 정연한, 조직적인	m	10
29	a. 중요한, 결정적인	c	7
30	v. 보충하다; 보상하다	c	10
31	v. 헐뜯다, 비방하다	a	7
32	v. 명령으로 추방하다	b	6
33	a. 훌륭한, 흥미로운	m	9
34	n. 가치, 골동적 가치	v	5
35	n. 망막	r	6
36	v. 서서히 움직이다, 기어가다	c	5
37	n. 미식가	g	7
38	p. 오직, 그저 ~일 뿐	n	10 (p.)
39	n. 연무, 실안개; 희부연 것 v. 연무로 뒤덮이다	h	4
40	v. 식별하다, 분별하다	d	7

종합 TEST

번호	영어	한글	글자수
1	vintage		
2	transmittance		
3	enjoin		
4	admit to N		
5	dismal		
6	tribute		
7	authentic		
8	pneumonia		
9	stiff		
10	feint		
11	in this regard		
12	well off		
13	virtuosic		
14	lay off		
15	brute		
16	subside		
17	incidence		
18	contiguous		
19	incur		
20	imperative		

종합 TEST

번호	한글	영어	글자수
21	v. 찰싹 때리다	s	5
22	v. 원상태로 돌리다, 사회에 복귀시키다	r	12
23	v. 진압하다, 억누르다	s	6
24	v. 밀어닥치다, 쇄도하다; 급등하다 n. 큰 파도, 격동	s	5
25	n. 지지자	p	9
26	p. ~에 접근하다, ~와 면회하다	g	12 (p.)
27	n. 비굴한 태도 v. 굽실대다	c	6
28	v. 경감시키다, 완화시키다	a	9
29	p. ~에 큰 영향을 미치다	l	12 (p.)
30	n. 위엄, 존엄	d	7
31	p. 잘 어울리다	g	10 (p.)
32	v. ~의 탓으로 하다	i	6
33	p. (찬찬히) 살펴보다, 점검하다; 재고 조사하다	t	9 (p.)
34	n. 극빈자, 빈민	p	6
35	n. 회계 감사, 심사; 청강 v. 청강하다	a	5
36	p. 기어코, 어떠한 희생을 치르더라도	a	9 (p.)
37	p. 왔던 길로 되돌아가다	d	19 (p.)
38	p. 오직, 그저 ~일 뿐	n	10 (p.)
39	a. 차선의	s	10
40	p. 심호흡을 하다	d	15 (p.)

Day 15.

561	**bellicose**	[bélikòus]	a. 호전적인
562	**recur**	[rɪˈkɜːr]	v. 재발하다, 반복되다
563	**faculty**	[ˈfæk.əl.ti]	n. 학부, 교수진; 재능
564	**varnish**	[ˈvɑː.nɪʃ]	n. 니스, 광택제 v. 니스를 바르다
565	**savage**	[sævidʒ]	a. 사나운, 야만적인
566	**province**	[ˈprɒv.ɪns]	n. 지방,(행정 구역상의) 주/도
567	**omen**	[ˈəʊ.mən]	n. 징조, 조짐
568	**creed**	[kriːd]	n. 신조, 신념, 원칙; 교의
569	**adjacent**	[əˈdʒeɪ.sənt]	a. 인접한
570	**nausea**	[ˈnɔː.si.ə]	n. 항해 중 고통(배멀미)
571	**slay**	[sleɪ]	v. 죽이다, 살해하다
572	**satire**	[ˈsæt.aɪər]	n. 풍자, 해학
573	**queer**	[kwɪər]	a. 기묘한, 괴상한
574	**apposite**	[ˈæp.ə.zɪt]	a. 적합한, 적절한
575	**expedition**	[ˌek.spəˈdɪʃ.ən]	n. 원정, 탐험
576	**litigate**	[ˈlɪt.ɪ.geɪt]	v. 제소하다, 소송하다
577	**apparatus**	[ˌæp.əˈreɪ.təs]	n. 기구, 기계, 장치; 조직
578	**faucal**	[fɔ́ːkəl]	a. 인후의
579	**obscene**	[əbˈsiːn]	a. 외설한, 음란한
580	**astound**	[əstáund]	v. 깜짝 놀라게 하다
581	**psychiatric**	[ˌsaɪ.kiˈæt.rɪk]	a. 정신 질환의
582	**ablaze**	[əˈbleɪz]	a. 빛나서; 열광하여
583	**mortal**	[ˈmɔː.təl]	a. 죽어야 할 운명의, 치명적인; 죽게 마련인
584	**collision**	[kəˈlɪʒ.ən]	n. 충돌, 대립, 상충
585	**reciprocate**	[rɪˈsɪp.rə.keɪt]	v. 보답하다
586	**asthma**	[ǽzmə]	n. 천식
587	**bastard**	[ˈbɑː.stəd]	n. 서자,사생아; 나쁜 놈; 잡종
588	**amid**	[əˈmɪd]	prep. 가운데에, ~으로 에워싸인
589	**incubus**	[ínkjəbəs íŋ-]	n. 악마, 악몽; 압박하는 일, 압박하는 사람
590	**constituency**	[kənˈstɪtʃ.u.ən.si]	n. 유권자; 선거구; 단골
591	**come home to**		p. 가슴에 뼈저리게 사무치다
592	**put a strain on**		p. ~에 압박을 가하다
593	**of necessity**		p. 필연적으로, 당연히
594	**get to do**		p. ~하게 되다
595	**on exhibit**		p. 전시되어, 출품되어
596	**substitute A with B**		p. A를 B로 대체하다
597	**stand to do**		p. ~할 것 같다
598	**be content to do**		p. 기꺼이 ~하다
599	**be up for**		p. 참여하다; 입후보하다
600	**take with**		p. 인기가 있다, 평판이 좋다

Day 15 TEST

번호	영어	한글	글자수
1	satire		
2	obscene		
3	mortal		
4	put a strain on		
5	bellicose		
6	nausea		
7	recur		
8	astound		
9	amid		
10	get to do		
11	bastard		
12	come home to		
13	expedition		
14	faculty		
15	take with		
16	slay		
17	incubus		
18	litigate		
19	asthma		
20	stand to do		

Day 15 TEST

번호	한글	영어	글자수
21	a. 정신 질환의	p	11
22	a. 적합한, 적절한	a	8
23	p. 기꺼이 ~하다	b	13 (p.)
24	a. 인접한	a	8
25	a. 빛나서; 열광하여	a	6
26	n. 지방,(행정 구역상의) 주/도	p	8
27	a. 기묘한, 괴상한	q	5
28	p. 참여하다; 입후보하다	b	7 (p.)
29	a. 인후의	f	6
30	n. 니스, 광택제 v. 니스를 바르다	v	7
31	a. 사나운, 야만적인	s	6
32	n. 징조, 조짐	o	4
33	p. 필연적으로, 당연히	o	11 (p.)
34	n. 기구, 기계, 장치; 조직	a	9
35	p. A를 B로 대체하다	s	16 (p.)
36	n. 유권자; 선거구; 단골	c	12
37	p. 전시되어, 출품되어	o	9 (p.)
38	n. 신조, 신념, 원칙; 교의	c	5
39	v. 보답하다	r	11
40	n. 충돌, 대립, 상충	c	9

종합 TEST

번호	영어	한글	글자수
1	solitary		
2	riverine		
3	polytheism		
4	factor in		
5	corpse		
6	subsidy		
7	relegate		
8	fit A like a glove		
9	shelf-stable		
10	diminish		
11	repel		
12	mortal		
13	take with		
14	telling		
15	public domain		
16	tease		
17	frugal		
18	bastard		
19	in proportion to		
20	dismal		

종합 TEST

번호	한글	영어	글자수
21	n. 자두	p	4
22	n. 곡예사, (정치적 의견, 주의 등의) 변절자	a	7
23	p. 학용품	s	14 (p.)
24	a. 코의, 콧소리의	n	5
25	v. 실패하다, 유산하다	m	8
26	n. 걸쭉한 것; (과일·채소) 과육	p	4
27	n. 추 v. 재다; 납으로 봉하다	p	5
28	v. 복제하다; 모사하다 a. 반복된	r	9
29	v. 경감시키다, 완화시키다	a	9
30	v. 고안하다, 궁리하다, 꾀하다	c	8
31	n. (여자의) 가슴; 단란함	b	5
32	n. 척추, 등뼈; 가시	s	5
33	v. 응시하다, 바라보다	g	4
34	a. 마음 아픈, 신랄한	p	8
35	n. 주파수, 파장	w	10
36	p. 식물 재배의 재능	g	10 (p.)
37	n. 발생률, 빈도	i	9
38	n. 전도사, 선교사	m	10
39	a. 관절, 공동의	j	5
40	n. 이중극, 쌍극자	d	6

Day 16.

601	**malaria**	[məlέəriə]	n. 학질, 말라리아
602	**recondition**	[ˌriː.kənˈdɪʃ.ən]	v. 수리하다
603	**abdicate**	[ˈæb.dɪ.keɪt]	v. 퇴위하다, 포기하다
604	**attire**	[əˈtaɪər]	v. (옷을 차려) 입히다
605	**dew**	[djuː]	n. 이슬
606	**pension**	[ˈpen.ʃən]	n. 연금; 펜션, 하숙집 v. 연금을 주다
607	**prudent**	[ˈpruː.dənt]	a. 사려깊은, 현명한
608	**verge**	[vəːrdʒ]	n. 가장자리, 길가 v. ~에 가까워지다
609	**wane**	[weɪn]	v. 약해지다, 시들해지다 n. 감소, 쇠퇴
610	**denote**	[dɪˈnəʊt]	v. 따로 표시하다, 나타내다, 조짐을 보여주다
611	**plight**	[plaɪt]	n.. 역경, 곤경 v. 맹세하다
612	**hitch**	[hɪtʃ]	n. 급정지; 장애 v. 매다, 연결하다; 얻어 타다
613	**solicit**	[səˈlɪs.ɪt]	v. ~에게 간청하다; 꾀다
614	**sparse**	[spɑːs]	a. 드문드문한, 부족한, 희박한
615	**primate**	[ˈpraɪ.meɪt]	n. 영장류
616	**refract**	[rɪˈfrækt]	v. 굴절시키다
617	**vengeful**	[ˈvendʒ.fəl]	a. 복수심에 불타는
618	**sequel**	[ˈsiː.kwəl]	n. 속편, 후속
619	**lest**	[lest]	conj. ~하지 않도록
620	**defer**	[difə́ːr]	v. 따르다; 미루다, 연기하다
621	**pedagogy**	[ˈped.ə.gɒdʒ.i]	n. 교육학
622	**senator**	[sénətər]	n. 상원 의원
623	**cottage**	[ˈkɒt.ɪdʒ]	n. 오두막집, 시골 집
624	**aftermath**	[ˈɑːf.tə.mæθ]	n. 결과, 여파; 후유증
625	**rhinoceros**	[raɪˈnɒs.ər.əs]	n. 코뿔소
626	**dogma**	[ˈdɒg.mə]	n. (독단적인) 신조, 도그마
627	**somnambulism**	[sɒmˈnæm.bjə.lɪ.zəm]	n. 몽유병
628	**longitude**	[ˈlɒŋ.gɪ.tʃuːd]	n. 경도
629	**disparity**	[dɪˈspær.ə.ti]	n. 불일치
630	**harass**	[ˈhær.əs]	v. 괴롭히다
631	**put A to death**		p. A를 사형에 처하다
632	**get the message**		p. 뜻을 이해하다
633	**ask after**		p. ~의 안부를 묻다
634	**on the grounds of**		p. ~의 이유로
635	**unheard-of**		p. 전례가 없는, 들어본 적 없는
636	**at one's disposal**		p. ~의 처분에 맡겨져
637	**no sooner A than B**		p. A하자마자 B
638	**state of the art**		p. 최첨단의
639	**one after the other**		p. 차례로
640	**to the contrary**		p. 그 반대를 보여 주는, 증명하는

Day 16 TEST

번호	영어	한글	글자수
1	verge		
2	vengeful		
3	longitude		
4	recondition		
5	lest		
6	cottage		
7	defer		
8	hitch		
9	sparse		
10	primate		
11	state of the art		
12	harass		
13	ask after		
14	at one's disposal		
15	plight		
16	prudent		
17	abdicate		
18	wane		
19	dogma		
20	sequel		

Day 16 TEST

번호	한글	영어	글자수
21	p. ~의 이유로	o	14 (p.)
22	p. A하자마자 B	n	14 (p.)
23	v. ~에게 간청하다; 꾀다	s	7
24	n. 상원 의원	s	7
25	n. 결과, 여파; 후유증	a	9
26	n. 연금; 펜션, 하숙집 v. 연금을 주다	p	7
27	n. 이슬	d	3
28	n. 불일치	d	9
29	n. 코뿔소	r	10
30	v. 따로 표시하다, 나타내다, 조짐을 보여주다	d	6
31	p. A를 사형에 처하다	p	11 (p.)
32	p. 뜻을 이해하다	g	13 (p.)
33	n. 학질, 말라리아	m	7
34	n. 몽유병	s	12
35	p. 그 반대를 보여 주는, 증명하는	t	13 (p.)
36	p. 전례가 없는, 들어본 적 없는	u	10
37	v. (옷을 차려) 입히다	a	6
38	v. 굴절시키다	r	7
39	p. 차례로	o	16 (p.)
40	n. 교육학	p	8

종합 TEST

번호	영어	한글	글자수
1	constable		
2	apparel		
3	at one's wit's end		
4	spine		
5	on the tube		
6	at a distance		
7	school supplies		
8	ludicrous		
9	march		
10	cringe		
11	fungus		
12	decry		
13	flesh		
14	psychiatric		
15	be done with		
16	get to do		
17	a visit from the stork		
18	allure		
19	gourmet		
20	by a hair's breadth		

종합 TEST

번호	한글	영어	글자수
21	n. 속편, 후속	s	6
22	a. 상호 배타적인	m	17 (p.)
23	p. ~한 속도로	a	8 (p.)
24	p. 자연 그대로의, 날것 그대로의, 벌거벗고	i	8 (p.)
25	a. 겁내는, 두려워하는	t	6
26	p. ~을 해고하다	l	6 (p.)
27	n. 짧음; 간결	b	7
28	n. 고리 (모양); 루프	l	4
29	v. 꾸미다, 장식하다	a	5
30	n. 쓰레기 뒤지는 사람, 죽은 동물을 먹는 동물	s	9
31	v. 음모를 꾸미다; 공모하다	c	8
32	a. 일상적인, 재미없는 n. 세속	m	7
33	p. ~한 것을 인정하다	a	8 (p.)
34	n. 활기, 활력	v	5
35	n. 경도	l	9
36	n. 비난, 책망 v. 비난하다	r	8
37	p. 상온에서 오래 상하지 않는	s	12
38	p. 추상적으로, 관념적으로	i	13 (p.)
39	p. 조심하다	t	14 (p.)
40	n. 부업; 취미	a	9

Day 17.

641	**reimburse**	[ˌriː.ɪmˈbɜːs]	v. ~에게 변상하다, 갚다
642	**hum**	[hʌm]	v. 콧노래를 부르다 n. 웅웅거리는 소리 a. 활기찬
643	**emit**	[iˈmɪt]	v. 내뿜다, 방출하다
644	**hop**	[hap]	v. 깡충 뛰다
645	**pedestal**	[ˈped.ə.stəl]	n. 주춧돌; 기초
646	**blister**	[ˈblɪs.tər]	n. 물집, 수포, 발포
647	**protagonist**	[prəˈtæg.ən.ɪst]	n. 주연, 주인공; 주창자, 지도자
648	**pending**	[ˈpen.dɪŋ]	a. 아직 해결되지 않은, 보류 중인
649	**etymology**	[ˌet.ɪˈmɒl.ə.dʒi]	n. 어원학
650	**applaud**	[əˈplɔːd]	v. 박수갈채하다; 칭찬하다
651	**presume**	[prɪˈzjuːm]	v. 가정하다, 추측하다
652	**poise**	[pɔɪz]	n. 침착, 균형 v. 균형 잡히게 하다
653	**feeble**	[ˈfiː.bəl]	a. 허약한, 힘 없는, 희미한
654	**annuity**	[əˈnjuː.ə.ti]	n. 연금, 연금 수령권
655	**acclaim**	[əˈkleɪm]	v. 갈채를 보내다, 환호를 보내다 n. 환호, 갈채
656	**admonish**	[ədˈmɒn.ɪʃ]	v. 훈계하다, 충고하다; 경고하다, 주의시키다
657	**confederate**	[kənˈfed.ər.ət]	n. 동맹국, 동지; 공모자 v. 다국적으로 연맹하다
658	**astonish**	[əˈstɒn.ɪʃ]	v. 놀라게 하다
659	**continence**	[kάntənəns]	n. 절제, 금욕
660	**derange**	[diréindʒ]	v. 어지럽히다
661	**stroll**	[strəʊl]	v. 천천히 거닐다 n. 산책
662	**ethnic**	[ˈeθ.nɪk]	a. 민족의, 종족의
663	**stalk**	[stɔːk]	n. 줄기 v. 몰래 접근하다
664	**delicate**	[ˈdel.ɪ.kət]	a. 신중을 요하는, 민감한; 허약한; 맛있는
665	**fission**	[ˈfɪʃ.ən]	n. (핵·세포 등의) 분열
666	**sift**	[sɪft]	v. 거르다, 선별하다
667	**robust**	[rəʊˈbʌst]	a. 튼튼한, 강건한
668	**gorgeous**	[gɔ́ːrdʒəs]	a. 아주 멋진, 화려한
669	**abet**	[əˈbet]	v. 부추기다, 선동하다
670	**apathy**	[ǽpəθi]	n. 냉담, 무관심
671	**be engrossed in**		p.~에 몰두하다
672	**be on the point of -ing**		p. 막 ~하려 하다
673	**in a daze**		p. 멍하게
674	**toss about**		p. 뒤척이다
675	**hand-on**		p. 실전의, 실무의
676	**get on with**		p. ~와 잘 지내다
677	**get down to**		p. [진지하게 일을] 시작하다; 관심을 기울이다
678	**do with**		p. ~을 처리하다
679	**follow through on**		p. ~을 끝까지 수행하다
680	**go about**		p. ~을 시작하다; 방법을 찾다

Day 17 TEST

번호	영어	한글	글자수
1	etymology		
2	ethnic		
3	blister		
4	derange		
5	gorgeous		
6	poise		
7	presume		
8	follow through on		
9	sift		
10	protagonist		
11	reimburse		
12	pending		
13	toss about		
14	confederate		
15	continence		
16	be engrossed in		
17	astonish		
18	delicate		
19	fission		
20	stroll		

Day 17 TEST

번호	한글	영어	글자수
21	v. 갈채를 보내다, 환호를 보내다 n. 환호, 갈채	a	7
22	v. 깡충 뛰다	h	3
23	p. ~을 처리하다	d	6 (p.)
24	p. 멍하게	i	7 (p.)
25	n. 주춧돌; 기초	p	8
26	n. 줄기 v. 몰래 접근하다	s	5
27	p. [진지하게 일을] 시작하다; 관심을 기울이다	g	9 (p.)
28	v. 부추기다, 선동하다	a	4
29	v. 박수갈채하다; 칭찬하다	a	7
30	a. 허약한, 힘 없는, 희미한	f	6
31	p. ~와 잘 지내다	g	9 (p.)
32	p. 막 ~하려 하다	b	18 (p.)
33	p. ~을 시작하다; 방법을 찾다	g	7 (p.)
34	v. 내뿜다, 방출하다	e	4
35	n. 냉담, 무관심	a	6
36	a. 튼튼한, 강건한	r	6
37	p. 실전의, 실무의	h	7
38	v. 콧노래를 부르다 n. 웅웅거리는 소리 a. 활기찬	h	3
39	v. 훈계하다, 충고하다; 경고하다, 주의시키다	a	8
40	n. 연금, 연금 수령권	a	7

종합 TEST

번호	영어	한글	글자수
1	audit		
2	reindeer		
3	mundane		
4	serve to do		
5	for this once		
6	ablaze		
7	advert		
8	acne		
9	sift		
10	rash		
11	tactile		
12	perpetual		
13	lay the foundation		
14	archaeology		
15	awe		
16	poke one's nose into		
17	bosom		
18	be content to do		
19	behalf		
20	at one's expense		

종합 TEST

번호	한글	영어	글자수
21	n. 무리, 떼; 벌 떼 v. 무리를 지어 다니다	s	5
22	v. 양념장에 재워두다, 절이다	m	8
23	v. [낙태]하다, 유산하다; 중단하다, 실패하다	a	5
24	p. ~할 것 같다	s	9 (p.)
25	p. 사용에 따라, 관행상	b	7 (p.)
26	p. 순간적으로 주저하다	m	9 (p.)
27	v. 재발하다, 반복되다	r	5
28	vi. 낙심하다, 실망하다	d	7
29	a. 시청각의	a	11
30	p. A를 B로 대체하다	s	16 (p.)
31	n. 상원 의원	s	7
32	a. 정말 좋은, 훌륭한	s	8
33	a. 완전한, 손상되지 않은	i	6
34	p. ~에서 분리되다	b	14 (p.)
35	p. ~의 안부를 묻다	a	8 (p.)
36	n. 논쟁	c	11
37	v. ~을 포기하다, 버리다; 관계를 끊다	r	8
38	a. 통통한, 토실토실한	c	6
39	p. 이런 저런 일들 때문에 (바빠서)	w	26 (p.)
40	n. 꽃가루, 화분	p	6

Day 18.

681	**rap**	[ræp]	v. 가볍게 두드리다; 비난하다 a. 황홀해 하는
682	**aggrieve**	[əˈgriːv]	v. 고통을 주다, 괴롭히다
683	**concur**	[kənˈkɜːr]	v. 의견이 일치하다
684	**prick**	[prɪk]	v. 찌르다, 자극하다
685	**pupil**	[ˈpjuː.pəl]	n. 학생; 눈동자(동공)
686	**shabby**	[ˈʃæb.i]	a. 누추한, 초라한
687	**sabotage**	[sǽbətɑ̀ːʒ]	v. 고의로 방해하다, 파괴하다
688	**abstain**	[æbˈsteɪn]	v. 삼가다, 그만두다
689	**puddle**	[ˈpʌd.əl]	n. 웅덩이
690	**relish**	[ˈrel.ɪʃ]	n. 맛, 즐거움 v. 즐기다
691	**interlock**	[ˌɪn.təˈlɒk]	v. 맞물리다, 연결하다
692	**glaze**	[gleɪz]	v. 유리를 끼우다; 유약을 칠하다 n. 유약
693	**drudgery**	[ˈdrʌdʒ.ər.i]	n. 고된 일 a. 힘들고 단조로운
694	**priest**	[priːst]	n. 성직자
695	**timescale**	[ˈtaɪm.skeɪl]	n. (어떤 일에 소요되는) 기간
696	**hinder**	[ˈhɪn.dər]	v. 가로막다, 방해하다
697	**distress**	[dɪˈstres]	n. 고통, 괴로움, 고뇌; 곤궁, 빈곤
698	**granule**	[ˈgræn.juːl]	n. 알갱이, 작은 입자
699	**dissimulate**	[dɪˈsɪm.jə.leɪt]	v. 숨기다, 시치미떼다, 가장하다
700	**complacent**	[kəmˈpleɪ.sənt]	a. 만족해 하는, 자기 만족의
701	**placid**	[ˈplæs.ɪd]	a. 평온한
702	**naive**	[naɪˈiːv]	a. 순진해 빠진, 경험이 없는
703	**repress**	[rɪˈpres]	v. 억제하다, 진압하다
704	**commotion**	[kəˈməʊ.ʃən]	n. 소요, 소동
705	**refuge**	[ˈref.juːdʒ]	n. 도피(처), 피난(처)
706	**intrinsic**	[ɪnˈtrɪn.zɪk]	a. 고유한, 본질적인, 내적인
707	**digress**	[daigrés]	v. 벗어나다
708	**weep**	[wiːp]	v. 울다, 슬퍼하다
709	**forbear**	[fɔːˈbeər]	v. 참다, 삼가다
710	**meteor**	[ˈmiː.ti.ɔːr]	n. 유성, 별똥별
711	**across the table**		p. 얼굴을 맞댄, 직접적인
712	**ask a favor of**		p. ~에게 부탁을 하다
713	**in the ratio of**		p. ~의 비율로
714	**associate A with B**		p. A를 B와 관련시키다
715	**from square one**		p. 처음부터
716	**correspond to N**		p. ~과 일치하다, ~에 상응하다
717	**make at**		p. ~을 향해 나아가다; 공격하다
718	**speak of the devil**		p. 호랑이도 제 말하면 온다
719	**behave oneself**		p. 바르게 행동하다, 행동을 삼가다
720	**come to terms with**		p. ~와 타협하다

Day 18 TEST

번호	영어	한글	글자수
1	ask a favor of		
2	granule		
3	abstain		
4	placid		
5	distress		
6	pupil		
7	priest		
8	naive		
9	from square one		
10	dissimulate		
11	aggrieve		
12	rap		
13	glaze		
14	concur		
15	refuge		
16	prick		
17	interlock		
18	associate A with B		
19	relish		
20	across the table		

Day 18 TEST

번호	한글	영어	글자수
21	p. ~을 향해 나아가다; 공격하다	m	6 (p.)
22	p. ~와 타협하다	c	15 (p.)
23	a. 누추한, 초라한	s	6
24	v. 고의로 방해하다, 파괴하다	s	8
25	n. 소요, 소동	c	9
26	v. 울다, 슬퍼하다	w	4
27	n. 고된 일 a. 힘들고 단조로운	d	8
28	a. 고유한, 본질적인, 내적인	i	9
29	p. ~의 비율로	i	12 (p.)
30	v. 가로막다, 방해하다	h	6
31	v. 참다, 삼가다	f	7
32	p. ~과 일치하다, ~에 상응하다	c	13 (p.)
33	n. 유성, 별똥별	m	6
34	v. 억제하다, 진압하다	r	7
35	n. 웅덩이	p	6
36	v. 벗어나다	d	7
37	a. 만족해 하는, 자기 만족의	c	10
38	n. (어떤 일에 소요되는) 기간	t	9
39	p. 바르게 행동하다, 행동을 삼가다	b	13 (p.)
40	p. 호랑이도 제 말하면 온다	s	15 (p.)

종합 TEST

번호	영어	한글	글자수
1	trump		
2	conspire		
3	look on		
4	subtle		
5	placid		
6	telling		
7	acrophobia		
8	antidote		
9	reindeer		
10	remnant		
11	audit		
12	the masses		
13	in proportion to		
14	digress		
15	get to do		
16	acrobat		
17	be done with		
18	poverty		
19	naturalize		
20	exalt		

종합 TEST

번호	한글	영어	글자수
21	v. 암시하다, 함축하다, 내포하다	c	7
22	v. 침해하다, 가로채다	a	8
23	n. 이중극, 쌍극자	d	6
24	p. 사라지다, 없어지다	s	8 (p.)
25	v. 괴롭히다, 들볶다	a	7
26	p. 학용품	s	14 (p.)
27	p. 하고 싶은 대로, 내키는 대로	a	10 (p.)
28	v. 따로 표시하다, 나타내다, 조짐을 보여주다	d	6
29	v. 이해하다, 염려하다; 체포하다	a	9
30	v. 금지하다, 제지하다	i	9
31	n. 목초지, 방목지, 초원	p	7
32	a. 인후의	f	6
33	a. 터무니 없는, 불합리한 n. 부조리, 불합리	a	6
34	p. 일거양득이다	s	12 (p.)
35	n. 구부리다; 사기꾼	c	5
36	n. 걸쭉한 것; (과일·채소) 과육	p	4
37	v. 부식하다	c	7
38	p. A에 맞춘 듯이 꼭 맞아떨어지다	f	14 (p.)
39	n. 헌사, 공물	t	7
40	p. 시작하다; ~이 닥쳐오다	c	6 (p.)

Day 19.

721	**shrub**	[ʃrʌb]	n. 가시, 관목
722	**malice**	[ˈmæl.ɪs]	n. 악의, 원한
723	**dissonance**	[ˈdɪs.ən.əns]	n. 부조화음, 불협화음, 불일치
724	**penetrate**	[ˈpen.ɪ.treɪt]	v. 관통하다, 침투하다
725	**dormant**	[ˈdɔː.mənt]	a. 휴면기의, 잠복 중인
726	**pregnable**	[prégnəbl]	a. 공략할 수 있는, 취약점이 있는
727	**eradicate**	[ɪˈræd.ɪ.keɪt]	v. 뿌리째 뽑다, 근절하다
728	**prognosis**	[pragnóusis]	n. 예지, 예측
729	**parable**	[ˈpær.ə.bəl]	n. 우화, 비유담
730	**salute**	[səˈluːt]	v. 경례하다, 경의를 표하다 n. 경례
731	**conduce**	[kənˈdʒuːs]	v. 도움이 되다, 공헌하다
732	**omnibus**	[ˈɒm.nɪ.bəs]	n. 승합버스
733	**anomy**	[ǽnəmìː]	n. 무질서
734	**tidy**	[ˈtaɪ.di]	a. 깔끔한, 단정한
735	**turmoil**	[tə́ːrmɔil]	n. 혼란, 소란
736	**retrieve**	[ritríːv]	v. 만회하다, 회복하다
737	**irrupt**	[irΛpt]	vi. 침입하다
738	**impede**	[ɪmˈpiːd]	v. 방해하다
739	**confute**	[kənˈfjuːt]	v. 논박하다
740	**induce**	[ɪnˈdjuːs]	v. 설득하여 ~하게 하다; 야기하다
741	**nasty**	[ˈnɑː.sti]	a. 끔찍한, 고약한, 더러운
742	**trespass**	[ˈtres.pəs]	v. 불법 침해하다
743	**contingent**	[kənˈtɪn.dʒənt]	a. ~을 조건으로 하는; 우연한
744	**petty**	[ˈpet.i]	a. 사소한, 하찮은, 옹졸한
745	**timber**	[ˈtɪm.bər]	n. 건축 밖 용도의 재목; 수목, 목재, 대들보
746	**desist**	[dɪˈsɪst]	v. 단념하다, 그만두다
747	**malevolent**	[məˈlev.əl.ənt]	a. 사악한
748	**pervert**	[pəˈvɜːt]	v. 타락시키다, 왜곡하다; 악용하다
749	**despair**	[dispέər]	n. 절망 v. 절망하다
750	**abominate**	[əˈbɒm.ɪ.neɪt]	v. 혐오하다, 증오하다
751	**carbon footprint**		p. 탄소 발자국
752	**in a crow line**		p. 가장 가까운 직선거리로
753	**round the clock**		p. 24시간 내내
754	**collect on**		p. (채무) 회수하다
755	**do A up**		p. A 단추를 채우다, 잠그다; 포장하다; 개조하다
756	**shed light on**		p. 해명하다, ~을 비추다
757	**carry weight**		p. 중요하게 여기다
758	**in view of**		p. ~을 고려하여
759	**let out**		p. 방출하다; 빌려주다
760	**run for**		p. ~에 입후보하다, 출마하다

Day 19 TEST

번호	영어	한글	글자수
1	impede		
2	parable		
3	penetrate		
4	malice		
5	carry weight		
6	confute		
7	eradicate		
8	pregnable		
9	in a crow line		
10	nasty		
11	dormant		
12	pervert		
13	timber		
14	petty		
15	shed light on		
16	abominate		
17	despair		
18	anomy		
19	in view of		
20	dissonance		

Day 19 TEST

번호	한글	영어	글자수
21	p. (채무) 회수하다	c	9 (p.)
22	p. 24시간 내내	r	13 (p.)
23	v. 단념하다, 그만두다	d	6
24	v. 불법 침해하다	t	8
25	p. 방출하다; 빌려주다	l	6 (p.)
26	n. 혼란, 소란	t	7
27	v. 도움이 되다, 공헌하다	c	7
28	n. 가시, 관목	s	5
29	a. 사악한	m	10
30	v. 경례하다, 경의를 표하다 n. 경례	s	6
31	n. 승합버스	o	7
32	p. ~에 입후보하다, 출마하다	r	6 (p.)
33	a. 깔끔한, 단정한	t	4
34	p. 탄소 발자국	c	15 (p.)
35	vi. 침입하다	i	6
36	p. A 단추를 채우다, 잠그다; 포장하다; 개조하다	d	5 (p.)
37	a. ~을 조건으로 하는; 우연한	c	10
38	n. 예지, 예측	p	9
39	v. 설득하여 ~하게 하다; 야기하다	i	6
40	v. 만회하다, 회복하다	r	8

종합 TEST

번호	영어	한글	글자수
1	ensue		
2	repent		
3	hop		
4	dispute		
5	snore		
6	pediatric		
7	brace		
8	make my day		
9	repress		
10	factor in		
11	crook		
12	round the clock		
13	deteriorate		
14	ruth		
15	ethnic		
16	prehensile		
17	crucial		
18	emit		
19	ample		
20	reparation		

종합 TEST

번호	한글	영어	글자수
21	v. 숨기다, 시치미떼다, 가장하다	d	11
22	p. 실전의, 실무의	h	7
23	v. 박수갈채하다; 칭찬하다	a	7
24	v. [낙태]하다, 유산하다; 중단하다, 실패하다	a	5
25	a. 허약한, 힘 없는, 희미한	f	6
26	v. 방해하다	i	6
27	vi. 침입하다	i	6
28	n. 복도	c	8
29	a. 누추한, 초라한	s	6
30	n. 여드름	a	4
31	p. 이런 저런 일들 때문에 (바빠서)	w	26 (p.)
32	n. 냉담, 무관심	a	6
33	p. 쓸모 있는, 유익한	o	9 (p.)
34	n. 일치, 조화	u	6
35	n. 설교	s	6
36	n. 취임, 계승; 동의; 부가, 부가물	a	9
37	v. 죽이다, 살해하다	s	4
38	n. (시계의) 추, 진자	p	8
39	n. 긴장 완화	d	7
40	p. 참여하다; 입후보하다	b	7 (p.)

Day 20.

761	**vanguard**	[ˈvæn.gɑːd]	n. 선봉, 선두
762	**diagonal**	[daɪˈæg.ən.əl]	a. 대각선의, 사선의
763	**extricate**	[ˈek.strɪ.keɪt]	v. 구출시키다, 탈출시키다
764	**devour**	[diváuər]	v. 게걸스레 먹다; 삼켜버리다; 파괴하다
765	**refute**	[rɪˈfjuːt]	v. ~을 논박하다, 반박하다
766	**untimely**	[ʌnˈtaɪm.li]	a. 제 때가 아닌; 너무 이른
767	**intrigue**	[ɪnˈtriːg]	v. 호기심을 불러일으키다; 모의하다 n. 음모
768	**deviate**	[ˈdiː.vi.eɪt]	v. 벗어나다, 빗나가다
769	**horticultural**	[ˌhɔː.tɪˈkʌl.tʃər.əl]	a. 원예(학)의
770	**racism**	[ˈreɪ.sɪ.zəm]	n. 민족 차별주의, 인종 차별
771	**sanitary**	[ˈsæn.ɪ.tər.i]	a. 위생의, 위생적인
772	**dissect**	[daɪˈsekt]	v. 해부하다, 분석하다
773	**terrain**	[təˈreɪn]	n. 지형, 지역, 지세
774	**tremendous**	[trɪˈmen.dəs]	a. 엄청난, 막대한; 멋진
775	**trivial**	[ˈtrɪv.i.əl]	a. 변변치 않은, 사소한
776	**retract**	[rɪˈtrækt]	v. 취소하다, 철회하다
777	**malfunction**	[mælfəˈŋkʃən]	n. 기능 불량, 오작동
778	**irrigate**	[ˈɪr.ɪ.geɪt]	v. 물을 대다, 관개하다
779	**aggregate**	[ˈæg.rɪ.gət]	v. 모으다, 모이다; 합계가 ~이 되다 n. 합계, 총액
780	**abbreviate**	[əbríːvièit]	v. 생략하다, 축약하다
781	**contemn**	[kəntém]	v. ~를 경멸하다
782	**intricate**	[ˈɪn.trɪ.kət]	a. 뒤얽힌, 복잡한
783	**disquiet**	[dɪˈskwaɪət]	v. ~을 불안하게 하다; 불안
784	**placate**	[pləˈkeɪt]	v. 달래다
785	**breast**	[brest]	n. 가슴
786	**anthropology**	[ˌæn.θrəˈpɒl.ə.dʒi]	n. 인류학
787	**advocate**	[ˈæd.və.keɪt]	v. 옹호하다, 옹호자(변호사)
788	**arrogant**	[ˈær.ə.gənt]	a. 거만한, 오만한
789	**attorney**	[əˈtɜː.ni]	n. 대리인, 변호사
790	**antagonist**	[æntægənist]	n. 적대자, 반대자
791	**rule out**		p. 배제하다, 제외시키다
792	**be in the way**		p. 방해가 되다
793	**out of tune**		p. 음이 맞지 않는
794	**bring on**		p. ~을 야기하다, 초래하다
795	**come into effect**		p. 효력이 발생하다
796	**to the core**		p. 깊숙이, 핵심까지
797	**of name**		p. 이름난
798	**look back on**		p. 회상하다
799	**all at once**		p. 갑자기, 동시에
800	**word got around**		p. 소문이 돌았다

Day 20 TEST

번호	영어	한글	글자수
1	anthropology		
2	untimely		
3	dissect		
4	disquiet		
5	abbreviate		
6	irrigate		
7	devour		
8	intrigue		
9	look back on		
10	come into effect		
11	attorney		
12	rule out		
13	extricate		
14	sanitary		
15	refute		
16	to the core		
17	arrogant		
18	terrain		
19	placate		
20	word got around		

Day 20 TEST

번호	한글	영어	글자수
21	n. 민족 차별주의, 인종 차별	r	6
22	n. 기능 불량, 오작동	m	11
23	v. 벗어나다, 빗나가다	d	7
24	v. 옹호하다, 옹호자(변호사)	a	8
25	a. 변변치 않은, 사소한	t	7
26	a. 엄청난, 막대한; 멋진	t	10
27	a. 대각선의, 사선의	d	8
28	p. 음이 맞지 않는	o	9 (p.)
29	v. 모으다, 모이다; 합계가 ~이 되다 n. 합계, 총액	a	9
30	v. ~를 경멸하다	c	7
31	p. 갑자기, 동시에	a	9 (p.)
32	a. 뒤얽힌, 복잡한	i	9
33	n. 가슴	b	6
34	a. 원예(학)의	h	13
35	n. 선봉, 선두	v	8
36	v. 취소하다, 철회하다	r	7
37	p. 이름난	o	6 (p.)
38	p. 방해가 되다	b	10 (p.)
39	n. 적대자, 반대자	a	10
40	p. ~을 야기하다, 초래하다	b	7 (p.)

종합 TEST

번호	영어	한글	글자수
1	rodent		
2	stiff		
3	timescale		
4	subside		
5	wane		
6	confute		
7	asperse		
8	abuse		
9	telling		
10	no sooner A than B		
11	cottage		
12	reciprocate		
13	pungent		
14	at one's disposal		
15	embody		
16	rise to the bait		
17	apparel		
18	at pleasure		
19	retract		
20	attorney		

종합 TEST

번호	한글	영어	글자수
21	a. 반대의, 역의; 불리한	a	7
22	p. 이러저리 옮기다	m	10 (p.)
23	a. 완전한, 손상되지 않은	i	6
24	p. 잘 어울리다	g	10 (p.)
25	v. 참다, 삼가다	f	7
26	n. 논쟁	c	11
27	v. 굴욕감을 주다, 자존심을 상하게 하다	h	9
28	v. 경례하다, 경의를 표하다 n. 경례	s	6
29	v. 반박하다, 논쟁하다; 싸움, 논쟁	d	7
30	p. 머리가 좋다, 분별이 있다	h	29 (p.)
31	v. 음모를 꾸미다; 공모하다	c	8
32	a. 사나운, 야만적인	s	6
33	a. 치명적인; 결정적인, 중대한	f	5
34	p. A를 B로 대체하다	s	16 (p.)
35	v. 포기하다, 양도하다, 단념하다	r	10
36	v. 권력을 휘두르다	d	8
37	n. 물욕, 탐욕	a	15
38	n. 헌사, 공물	t	7
39	a. 겸손한, 자기를 낮추는	h	6
40	n. 도피(처), 피난(처)	r	6

Day 21.

801	**impoverish**	[impávəriʃ]	v. 가난하게 하다, 고갈시키다
802	**despise**	[dɪˈspaɪz]	v. 경멸하다
803	**transient**	[ˈtræn.zi.ənt]	a. 무상한, 일시의, 덧없는; 단기 투숙객, 부랑자
804	**imperil**	[impérəl]	v. 위태롭게 하다
805	**resonant**	[rézənənt]	a. 울리는, 울려 퍼지는
806	**univocal**	[ju:nívəkl]	a. 뜻이 하나인, 모호하지 않은
807	**interpret**	[ɪnˈtɜː.prɪt]	v. 통역하다, 해석하다, 이해하다, 설명하다
808	**expedient**	[ikspíːdiənt]	a. 편리한, 편의의
809	**ornament**	[ɔ́ːrnəmənt]	n. 장식품
810	**branch**	[bræntʃ]	n. 나뭇가지; 지점, 지사
811	**coincide**	[ˌkəʊ.ɪnˈsaɪd]	v. 동시에 일어나다; 일치하다
812	**precedent**	[ˈpres.ɪ.dənt]	n. 선례, 판례, 전례
813	**depreciate**	[dipríːʃièit]	v. 가치를 떨어뜨리다
814	**meteorology**	[ˌmiː.ti.əˈrɒl.ə.dʒi]	n. 기상학
815	**clarify**	[ˈklær.ɪ.faɪ]	v. 명확하게 하다, 정화하다
816	**cohere**	[kouhíər]	v. 붙다, 응집하다; 일관성있다
817	**transcribe**	[trænˈskraɪb]	v. 베끼다, 필기하다
818	**con**	[kan]	n. 속임수; 사기 v. 사기를 치다
819	**cohabit**	[kənvóuk]	v. 동거하다, 양립하다
820	**dislodge**	[dɪˈslɒdʒ]	v. 빼내다, 쫓아내다
821	**behold**	[bɪˈhəʊld]	v. 보다, 바라보다
822	**benumb**	[binΛm]	v. 무감각하게 하다, 얼게 하다
823	**intangible**	[ɪnˈtæn.dʒə.bəl]	a. 무형의; 모호한
824	**mislead**	[ˌmɪsˈliːd]	v. 현혹시키다, 속이다
825	**engulf**	[ɪnˈɡʌlf]	v. 삼켜버리다
826	**transcend**	[trænsénd]	v. 넘다, 초월하다
827	**constellation**	[ˌkɒn.stəˈleɪ.ʃən]	n. 별자리, 성좌; 모임
828	**misplace**	[ˌmɪsˈpleɪs]	v. 잘못 놓다, 잊어버리다 n. 불운, 불행
829	**convoke**	[kənvóuk]	v. 불러 모으다, 소집하다
830	**converge**	[kənˈvɜːdʒ]	v. 한 곳에 모이다
831	**status quo**		p. 현상 유지
832	**be equal to N**		p. ~와 동일하다
833	**jump the queue**		p. 새치기하다
834	**in a bid to do**		p. ~하기 위하여, ~을 겨냥하여
835	**while away**		p. 시간을 보내다
836	**hold one's tongue**		p. 입을 다물다
837	**call A in question**		p. A를 의심하다
838	**too much for**		p. ~을 감당하기에 너무한
839	**go on errands**		p. 심부름하다
840	**by no means**		p. 결코 ~이 아닌

Day 21 TEST

번호	영어	한글	글자수
1	converge		
2	branch		
3	meteorology		
4	behold		
5	cohabit		
6	cohere		
7	clarify		
8	precedent		
9	too much for		
10	go on errands		
11	dislodge		
12	transcribe		
13	coincide		
14	call A in question		
15	transient		
16	univocal		
17	ornament		
18	engulf		
19	misplace		
20	while away		

Day 21 TEST

번호	한글	영어	글자수
21	v. 위태롭게 하다	i	7
22	v. 경멸하다	d	7
23	p. 새치기하다	j	12 (p.)
24	p. ~와 동일하다	b	10 (p.)
25	n. 별자리, 성좌; 모임	c	13
26	a. 편리한, 편의의	e	9
27	v. 무감각하게 하다, 얼게 하다	b	6
28	v. 가치를 떨어뜨리다	d	10
29	a. 울리는, 울려 퍼지는	r	8
30	p. 현상 유지	s	9 (p.)
31	p. ~하기 위하여, ~을 겨냥하여	i	10 (p.)
32	a. 무형의; 모호한	i	10
33	v. 통역하다, 해석하다, 이해하다, 설명하다	i	9
34	v. 불러 모으다, 소집하다	c	7
35	v. 넘다, 초월하다	t	9
36	v. 가난하게 하다, 고갈시키다	i	10
37	p. 입을 다물다	h	15 (p.)
38	p. 결코 ~이 아닌	b	9 (p.)
39	v. 현혹시키다, 속이다	m	7
40	n. 속임수; 사기 v. 사기를 치다	c	3

종합 TEST

번호	영어	한글	글자수
1	etymology		
2	astonish		
3	odometer		
4	turmoil		
5	factor in		
6	expedition		
7	faucal		
8	repress		
9	anomy		
10	contemn		
11	prove a point		
12	pauper		
13	senator		
14	acquisitiveness		
15	haze		
16	mooch		
17	abdicate		
18	archaeology		
19	on exhibit		
20	in proportion to		

종합 TEST

번호	한글	영어	글자수
21	v. 계속해서 일어나다	e	5
22	v. 따르다; 미루다, 연기하다	d	5
23	vi. 낙심하다, 실망하다	d	7
24	n. 영장류	p	7
25	v. 실패하다, 유산하다	m	8
26	n. 짐승, 야수 a. 힘에만 의존하는	b	5
27	p. 비밀을 털어놓다	l	5 (p.)
28	n. (시계의) 추, 진자	p	8
29	n. 흡인기	a	9
30	p. (공포 따위가) ~을 엄습하다	c	9 (p.)
31	p. ~을 향해 나아가다; 공격하다	m	6 (p.)
32	n. 이중극, 쌍극자	d	6
33	p. 시작하다; ~이 닥쳐오다	c	6 (p.)
34	p. ~ 배로	b	11 (p.)
35	n. 징조, 조짐	o	4
36	n. 별표	a	8
37	v. ~에게 명령하다; 금하다	e	6
38	p. (고정핀으로) 뒤로 당겨서 묶다, 고정시키다	p	7 (p.)
39	a. 위생의, 위생적인	s	8
40	p. 중요하게 여기다	c	11 (p.)

Day 22.

841	undue	[əndu ˈ]	a. 어울리지 않는, 지나친, 과도한; 불법의, 부당한
842	proceeds	[ˈprəʊ.siːdz]	n. 수익금
843	analogy	[ənǽlədʒi]	n. 유추, 유사성; 비유
844	ramp	[ræmp]	n. 경사로, 램프 v. 덤벼들다; 달려들다
845	immerse	[imə́:rs]	v. 잠기게 하다, 담그다; 몰두시키다
846	transaction	[trænˈzæk.ʃən]	n. 처리, 취급; 거래, 매매
847	rejuvenate	[ridʒú:vənèit]	v. 다시 활기를 띠게 하다
848	disembodied	[ˌdɪs.ɪmˈbɒd.id]	a. 현실에서 유리된, 실체 없는
849	impracticable	[ɪmˈpræk.tɪ.kə.bəl]	a. 실행 불가능한, 다닐 수 없는
850	extrinsic	[ikstrínsik]	a. 외부로부터의, 비본질적인
851	comprehensive	[ˌkɒm.prɪˈhen.sɪv]	a. 포괄적인, 함축적인
852	evade	[ɪˈveɪd]	v. 피하다, 벗어나다
853	deplore	[diplɔ́:r]	v. 한탄하다, 비판하다
854	transparent	[trænˈspær.ənt]	a. 투명한;솔직한; 명쾌한, 이해하기 쉬운
855	recession	[rɪˈseʃ.ən]	n. 불황, 침체, 불경기, 후퇴, 위기
856	intimidate	[intímədèit]	v. 위협하다, 협박하다
857	restrain	[rɪˈstreɪn]	v. ~을 억누르다, 억제하다
858	perverse	[pəˈvɜːs]	a. 외고집의, 심술궂은, 사악한
859	averse	[əˈvɜːs]	a. 싫어하는
860	pervade	[pərvéid]	v. ~에 온통 퍼지다, 가득차다
861	embark	[ɪmˈbɑːk]	v. 승선하다; 기업에 투자하다
862	overhaul	[ouˈvərhɔˌl]	v. 점검하다; 따라잡다
863	pragmatic	[prægmǽtik]	a. 실용적인
864	unassuming	[əˌnəsuˈmiŋ]	a. 잘난체 하지 않는, 겸손한
865	dissemble	[disémbl]	v. 숨기다, 가장하다
866	indelicate	[indélikət]	a. 조잡한, 천한
867	lumber	[ˈlʌm.bər]	n. 잡동사니; 목재; 느릿느릿 움직이다
868	revoke	[rivóuk]	v. ~을 취소하다, 무효로 하다
869	evoke	[ɪˈvəʊk]	v. 불러일으키다, 환기시키다
870	patent	[ˈpeɪ.tənt]	v. 특허를 받다 n. 특허, 특허권
871	cannot too		p. 아무리 ~해도 지나치지 않다
872	not so much A as B		p. A라기 보다는 B
873	at the mercy of		p. ~에 좌우되어, ~에 마음대로 되어
874	in pledge		p. 담보로
875	in the interests of		p. ~을 위해
876	sit out		p. ~이 끝나기를 기다리다; (활동에서) 빠지다
877	in no way		p. 결코 ~하지 않다
878	exact to the life		p. 실물 그대로의
879	be down on		p. ~을 싫어하다
880	hold good		p. 유효하다

Day 22 TEST

번호	영어	한글	글자수
1	proceeds		
2	embark		
3	at the mercy of		
4	unassuming		
5	revoke		
6	be down on		
7	recession		
8	cannot too		
9	transparent		
10	in the interests of		
11	sit out		
12	undue		
13	hold good		
14	averse		
15	not so much A as B		
16	immerse		
17	ramp		
18	pervade		
19	deplore		
20	lumber		

Day 22 TEST

번호	한글	영어	글자수
21	a. 휴면기의, 잠복 중인	r	10
22	p. (고정핀으로) 뒤로 당겨서 묶다, 고정시키다	e	14 (p.)
23	v. 가정하다, 추측하다	e	9
24	p. ~은 분명하다	i	10
25	v. 모이다, 집합시키다	r	8
26	p. ~을 제공하다, ~을 제시하다	i	10
27	n. 소매, 소맷자락	d	9
28	p. ~의 나이로	c	13
29	a. 생각에 잠긴	e	5
30	v. 퇴짜놓다, 거절하다	p	6
31	n. 주파수, 파장	p	9
32	n. 흡인기	d	11
33	v. 부추기다, 선동하다	o	8
34	p. 처음부터, 처음에	i	8 (p.)
35	v. 일시 중지하다; 정직시키다; 연기하다; 매달다	i	7 (p.)
36	v. 싸우다, 언쟁을 벌이다; 말다툼, 불만	p	8
37	a. 잡기에 적합한; 이해력이 있는	t	11
38	n. 상속인 , 후계자	a	7
39	v. 비난하다, 질책하다	i	13
40	v. 부인하다	e	5

종합 TEST

번호	영어	한글	글자수
1	humble		
2	abhor		
3	contravene		
4	pasture		
5	seduce		
6	atypical		
7	remnant		
8	conspicuous		
9	ask after		
10	coincide		
11	voyage		
12	behold		
13	methodical		
14	in a bid to do		
15	convict		
16	inflict		
17	homage		
18	disparage		
19	evoke		
20	come on		

종합 TEST

번호	한글	영어	글자수
21	p. A하자마자 B	n	14 (p.)
22	n. 얼간이, 멍청이, 바보	d	7
23	a. 기묘한, 괴상한	q	5
24	n. 짐승, 야수 a. 힘에만 의존하는	b	5
25	v. 석방하다, 무죄로 하다; 행동하다, 처신하다	a	6
26	v. 가져오다	f	5
27	a. 통통한, 토실토실한	c	6
28	v. 흩어지게 하다; 분산시키다	d	8
29	n. 동맥; 주요 도로	a	6
30	v. 유혹하다, 매혹하다	a	6
31	a. 수사적인, 미사여구식의, 과장이 심한	r	10
32	n. 현자	s	4
33	n. 악마, 악몽; 압박하는 일, 압박하는 사람	i	7
34	v. ~의 탓으로 하다	i	6
35	a. 거장다운, 거장의	v	9
36	v. 삼켜버리다	e	6
37	n. 자손, 후대	p	9
38	v. 단언하다, 공언하다	d	7
39	v. 비난하다, 질책하다	r	9
40	n. 장식품	o	8

Day 23.

881	**surname**	[ˈsɜː.neɪm]	n. 성
882	**proceed**	[prəˈsiːd]	v. 진행하다 n. 판매 또는 거래의 수익
883	**transition**	[trænˈzɪʃ.ən]	n. 변천, 전이
884	**hollow**	[ˈhɒl.əʊ]	a. 속이 빈, 움푹 꺼진; 분지
885	**disjoint**	[disdʒɔ́int]	v. 해체하다, (관절을) 삐게 하다
886	**sophisticated**	[səˈfɪs.tɪ.keɪ.tɪd]	a. 세련된, 경험 많은; 정교한, 복잡한
887	**beguile**	[bigáil]	v. 속이다; 즐겁게 하다
888	**plumber**	[ˈplʌm.ər]	n. 배관공
889	**misrepresent**	[mìsreprizént]	v. 잘못 말하다, 거짓 설명하다
890	**dialect**	[ˈdaɪ.ə.lekt]	n. 사투리, 방언
891	**concourse**	[kάnkɔːrs]	n. 집합, 군중; 중앙 광장, 홀
892	**augment**	[ɔːgmént]	n. 증강 v. 증강시키다
893	**humility**	[hjuːˈmɪl.ə.ti]	n. 겸손
894	**desperado**	[ˌdes.pəˈrɑː.dəʊ]	n. 무법자; 자포자기식으로 사는 사람
895	**reciprocal**	[risíprəkəl]	a. 상호의, 호혜적인
896	**extemporize**	[ikstémpə-ràiz]	v. 즉흥적으로 하다, 즉석에서 하다
897	**decipher**	[dɪˈsaɪ.fər]	v. 해독하다
898	**feign**	[fein]	v. ~인 체하다, 위조하다
899	**declaim**	[dikléim]	v. 연설하다, 낭독하다; 비난하다
900	**resentment**	[rɪˈzent.mənt]	n. 분개, 분노
901	**coherent**	[kəʊˈhɪə.rənt]	a. 일관된, 통일성이 있는, 논리적인
902	**dreadful**	[drédfəl]	a. 지독한, 굉장히 무서운
903	**implore**	[ɪmˈplɔːr]	v. 애원하다, 간청하다
904	**latitude**	[ˈlæt.ɪ.tʃuːd]	n. 위도; 허용범위
905	**zealot**	[zélət]	n. 열광자, 광신자
906	**incense**	[ínsens]	n. 향, 냄새 v. 격분시키다
907	**harry**	[ˈhær.i]	v. 약탈[침략]하다, 끊임없이 괴롭히다
908	**surveillance**	[sərvéiləns]	n. 감시, 감독, 관찰
909	**herbivore**	[ˈhɜː.bɪ.vɔːr]	n. 초식동물
910	**pious**	[ˈpaɪ.əs]	a. 독실한, 경건한
911	**all but**		p. 사실상, 거의
912	**take sides**		p. 편을 들다
913	**hit the ceiling**		p. 노발대발하다, 분통을 터뜨리다
914	**once and for all**		p. 최종적으로, 마지막으로 한 번만 더
915	**concentrate A on B**		p. A를 B에 집중시키다
916	**hang up**		p. 전화를 끊다
917	**take over**		p. 맡다, 넘겨 받다; 점거하다, 장악하다, 인수하다
918	**no more than**		p. 단지 ~에 지나지 않는, ~일 뿐인
919	**no less than**		p. 꼭 ~만큼, ~와 마찬가지로; ~못지 않게
920	**go up**		p. (가격, 기온 등이) 오르다

Day 23 TEST

번호	영어	한글	글자수
1	proceed		
2	hollow		
3	hit the ceiling		
4	pious		
5	resentment		
6	zealot		
7	feign		
8	desperado		
9	transition		
10	surveillance		
11	reciprocal		
12	go up		
13	humility		
14	no less than		
15	herbivore		
16	misrepresent		
17	hang up		
18	harry		
19	surname		
20	coherent		

Day 23 TEST

번호	한글	영어	글자수
21	p. 편을 들다	t	9 (p.)
22	p. 단지 ~에 지나지 않는, ~일 뿐인	n	10 (p.)
23	v. 속이다; 즐겁게 하다	b	7
24	n. 집합, 군중; 중앙 광장, 홀	c	9
25	n. 증강 v. 증강시키다	a	7
26	v. 연설하다, 낭독하다; 비난하다	d	7
27	a. 지독한, 굉장히 무서운	d	8
28	p. 최종적으로, 마지막으로 한 번만 더	o	13 (p.)
29	v. 해독하다	d	8
30	p. A를 B에 집중시키다	c	15 (p.)
31	n. 위도; 허용범위	l	8
32	n. 배관공	p	7
33	p. 맡다, 넘겨 받다; 점거하다, 장악하다, 인수하다	t	8 (p.)
34	n. 향, 냄새 v. 격분시키다	i	7
35	n. 사투리, 방언	d	7
36	v. 애원하다, 간청하다	i	7
37	a. 세련된, 경험 많은; 정교한, 복잡한	s	13
38	p. 사실상, 거의	a	6 (p.)
39	v. 해체하다, (관절을) 삐게 하다	d	8
40	v. 즉흥적으로 하다, 즉석에서 하다	e	11

종합 TEST

번호	영어	한글	글자수
1	assumedly		
2	go up		
3	villain		
4	forbear		
5	be up for		
6	alleviate		
7	distend		
8	avert		
9	constellation		
10	mislead		
11	abort		
12	derange		
13	absolve		
14	assimilate		
15	disparate		
16	pragmatic		
17	abominate		
18	append		
19	irrupt		
20	carton		

종합 TEST

번호	한글	영어	글자수
21	v. 부식하다	c	7
22	v. 도움이 되다, 공헌하다	c	7
23	p. ~에 관여하다	h	11 (p.)
24	n. 설교	s	6
25	p. 단계적으로 도입하다	p	7 (p.)
26	v. 묵다, 체류하다	s	7
27	p. 승부에 지다	l	10 (p.)
28	n. 소매, 소맷자락	s	6
29	n. 관세, 요금표	t	6
30	n. 수익금	p	8
31	n. 당뇨병	d	8
32	v. 모으다, 모이다; 합계가 ~이 되다 n. 합계, 총액	a	9
33	p. 행운을 빌다	c	17 (p.)
34	v. 제소하다, 소송하다	l	8
35	v. 약탈[침략]하다, 끊임없이 괴롭히다	h	5
36	v. 붙다, 응집하다; 일관성있다	c	6
37	v. 으뜸패를 내다; 이기다	t	5
38	v. 한탄하다, 비판하다	d	7
39	v. 이해하다	c	10
40	v. 따로 표시하다, 나타내다, 조짐을 보여주다	d	6

Day 24.

921	**disclaim**	[diskléim]	v. 부인하다
922	**malign**	[məláin]	a. 유해한, 악성인
923	**neologism**	[ni:ɑ́lədʒìzm]	n. 새로운 말, 신어
924	**embellish**	[imbéliʃ]	v. 아름답게 하다, 장식하다, (이야기를) 꾸미다
925	**dismay**	[dɪˈsmeɪ]	v. 당황하게 하다, 실망하게 하다
926	**arbitrary**	[ˈɑ:.bɪ.trər.i]	a. 제멋대로인, 변덕스러운
927	**recourse**	[rɪˈkɔ:s]	n. 의지가 되는 것, 의지가 되는 사람
928	**reminiscent**	[rèmənísnt]	a. 생각나게 하는, 연상시키는
929	**antithesis**	[æntíθəsis]	n. 정반대, 대립; 대조
930	**ambush**	[ǽmbuʃ]	n. 매복, 급습
931	**disdain**	[disdéin]	v. 경멸하다, 거부하다
932	**congestion**	[kənˈdʒes.tʃən]	n. (교통) 혼잡, (인구) 밀집
933	**affront**	[əfrʌnt]	v. 모욕하다
934	**devise**	[dɪˈvaɪz]	v. 궁리하다, 고안하다
935	**spare**	[speər]	v. ~을 면해 주다, 당하지 않게 하다
936	**reposit**	[ripɑ́zit]	v. ~을 저장하다, 보존하다
937	**stagnant**	[ˈstæg.nənt]	a. 침체된, 불경기의
938	**succumb**	[səkʌm]	vi. 지다, 굴복하다
939	**foster**	[ˈfɒs.tər]	v. 양육하다, 기르다, 촉진하다, 육성하다
940	**incriminate**	[inkrímənèit]	v. 고발하다
941	**quarrel**	[ˈkwɒr.əl]	v. 싸우다, 언쟁을 벌이다; 말다툼, 불만
942	**condone**	[kəndóun]	v. 용서하다
943	**discreet**	[dɪˈskri:t]	a. 신중한, 조심스러운
944	**dissent**	[disént]	vi. 의견을 달리하다 n. 불찬성, 이의
945	**succor**	[sʌkər]	v. 도움, 원조; ~을 도와주다
946	**interlude**	[íntərlù:d]	n. (잠깐의) 시기; 막간극, 간주
947	**allude**	[əˈlu:d]	v. 언급하다, 암시하다
948	**elusiveness**	[ilú:sivnis]	n. 모호함, 난해함
949	**jolt**	[dʒoult]	n. 놀람 v. 갑자기 거칠게 움직이다, 충격을 주다
950	**collapse**	[kəˈlæps]	v. 무너지다, 붕괴하다 n. 붕괴, 와해
951	**be concerned with**		p. ~에 관심이 있다
952	**on hold**		p. 보류된
953	**by means of**		p. ~에 의하여, ~의 도움으로
954	**work on**		p. 애쓰다
955	**come down with**		p. (별로 심각하지 않은 병에) 걸리다, 들리다
956	**to a person**		p. 만장일치로
957	**get off the ground**		p. 순조롭게 출발하다
958	**let alone**		p. ~은 고사하고
959	**go through**		p. 통과되다, 성사되다, 해결하다
960	**stem from**		p. ~에서 비롯되다

Day 24 TEST

번호	영어	한글	글자수
1	stem from		
2	by means of		
3	ambush		
4	arbitrary		
5	collapse		
6	elusiveness		
7	devise		
8	neologism		
9	dismay		
10	succumb		
11	condone		
12	reposit		
13	go through		
14	to a person		
15	antithesis		
16	foster		
17	disdain		
18	malign		
19	stagnant		
20	succor		

Day 24 TEST

번호	한글	영어	글자수
21	p. 순조롭게 출발하다	g	15 (p.)
22	v. 언급하다, 암시하다	a	6
23	n. (잠깐의) 시기; 막간극, 간주	i	9
24	p. (별로 심각하지 않은 병에) 걸리다, 들리다	c	12 (p.)
25	vi. 의견을 달리하다 n. 불찬성, 이의	d	7
26	p. 애쓰다	w	6 (p.)
27	a. 생각나게 하는, 연상시키는	r	11
28	p. ~은 고사하고	l	8 (p.)
29	v. ~을 면해 주다, 당하지 않게 하다	s	5
30	v. 부인하다	d	8
31	p. 보류된	o	6 (p.)
32	n. (교통) 혼잡, (인구) 밀집	c	10
33	v. 모욕하다	a	7
34	n. 놀람 v. 갑자기 거칠게 움직이다, 충격을 주다	j	4
35	v. 싸우다, 언쟁을 벌이다; 말다툼, 불만	q	7
36	n. 의지가 되는 것, 의지가 되는 사람	r	8
37	v. 아름답게 하다, 장식하다, (이야기를) 꾸미다	e	9
38	a. 신중한, 조심스러운	d	8
39	v. 고발하다	i	11
40	p. ~에 관심이 있다	b	15 (p.)

종합 TEST

번호	영어	한글	글자수
1	misrepresent		
2	pedestal		
3	meadow		
4	falsehood		
5	dilute		
6	foster		
7	a visit from the stork		
8	sage		
9	intrude		
10	superfluous		
11	coherent		
12	roam		
13	dissemble		
14	make allowance for		
15	convict		
16	at a 형 pace		
17	iron out		
18	abominate		
19	recondition		
20	contagious		

종합 TEST

번호	한글	영어	글자수
21	n. 동맥; 주요 도로	a	6
22	n. 무법자; 자포자기식으로 사는 사람	d	9
23	n. 학질, 말라리아	m	7
24	n. 속편, 후속	s	6
25	n. 소매, 소맷자락	s	6
26	p. ~로 나아가다	m	14 (p.)
27	p. ~이라는 주장을 하다	m	16 (p.)
28	n. 헌사, 공물	t	7
29	a. 마음 아픈, 신랄한	p	8
30	v. 속이다, 기만하다	d	7
31	n. 학부, 교수진; 재능	f	7
32	p. ~에게 공격적인	a	13 (p.)
33	n. 절망 v. 절망하다	d	7
34	a. 무딘, 퉁명스러운	b	5
35	v. 울다, 슬퍼하다	w	4
36	v. 즉흥적으로 하다, 즉석에서 하다	e	11
37	v. 도움이 되다, 공헌하다	c	7
38	a. 허약한, 힘 없는, 희미한	f	6
39	n. 가슴	b	6
40	n. 공자(유교의 창시자)	c	9

Day 25.

961	**cacophony**	[kəˈkɒf.ə.ni]	n. 불협화음
962	**decent**	[ˈdiː.sənt]	a. 제대로 된, 적절한, 알맞은, 품위 있는
963	**abject**	[æbdʒekt]	a. 비참한, 비열한
964	**reconcile**	[rékənsàil]	v. 조정하다, 화해시키다; 만족시키다
965	**elucidate**	[ilúːsədèit]	v. 밝히다, 명료하게 설명하다
966	**implicit**	[implísit]	a. 내재적인, 암시적인
967	**dubious**	[djúːbiəs]	a. 의심스런; 애매한
968	**adept**	[ədépt | ǽdept]	a. 숙련된, 능숙한 n. 전문가, 달인
969	**amicable**	[ǽmikəbl]	a. 우호적인
970	**ambient**	[ǽmbiənt]	a. 주위의, 주변의
971	**traduce**	[trədjúːs]	v. 비방하다, 중상하다
972	**betray**	[bɪˈtreɪ]	v. 배반하다, 저버리다
973	**desecrate**	[désikrèit]	v. 신성을 모독하다
974	**aberrant**	[əbérənt]	a. 정도를 벗어난, 변태적인
975	**nexus**	[néksəs]	n. 유대, 관계
976	**delinquent**	[dɪˈlɪŋ.kwənt]	a. 비행의, 태만한; 체납된, 연체된, 미불의
977	**impeccable**	[impékəbl]	a. 결함없는, 완벽한
978	**sedentary**	[sédntèri]	a. 주로 앉아서 지내는
979	**fallacy**	[ˈfæl.ə.si]	n. 잘못된 생각, 오류, 허위
980	**devout**	[diváut]	a. 독실한, 경건한
981	**procrastinate**	[prəˈkræs.tɪ.neɪt]	v. 질질 끌다, 지체하다
982	**incursion**	[inkə́ːrʒən]	n. 침략, 습격
983	**abridge**	[əbrídʒ]	v. 요약하다, 단축시키다
984	**extort**	[ikstɔ́ːrt]	v. 강탈하다, 강요하다
985	**retort**	[ritɔ́ːrt]	v. 보복하다, 반박하다
986	**abrasive**	[əbréisiv, əbréiziv]	a. 연마의; 귀에 거슬리는 n. 연마재
987	**affiliate**	[əfílièit]	v. 가입하다, 제휴하다 n. 계열사, 자회사
988	**agile**	[ǽdʒəl]	a. 민첩한
989	**collude**	[kəlúːd]	v. 공모하다, 결탁하다
990	**explicit**	[ɪkˈsplɪs.ɪt]	a. 분명한, 명백한, 솔직한, 명시적인
991	**in the light of**		p. ~의 관점에서
992	**come across as**		p. ~이라는 인상을 주다
993	**all the same**		p. 그래도, 그럼에도 불구하고, 역시
994	**as a matter of fact**		p. 실제로, 사실은
995	**get the better of**		p. ~을 이기다, 능가하다
996	**at a loss**		p. 어쩔 줄을 모르는
997	**on the whole**		p. 대체로, 전체적으로 볼 때
998	**dwell on**		p. ~에 대해 곰곰이 생각하다
999	**turn in**		p. ~을 제출하다; 되돌려주다; 잠자리에 들다
1000	**take A into account**		p. A를 고려하다

Day 25 TEST

번호	영어	한글	글자수
1	abrasive		
2	nexus		
3	in the light of		
4	at a loss		
5	collude		
6	elucidate		
7	betray		
8	desecrate		
9	come across as		
10	get the better of		
11	cacophony		
12	impeccable		
13	turn in		
14	adept		
15	retort		
16	explicit		
17	decent		
18	as a matter of fact		
19	incursion		
20	abject		

Day 25 TEST

번호	한글	영어	글자수
21	p. 그래도, 그럼에도 불구하고, 역시	a	10 (p.)
22	a. 주위의, 주변의	a	7
23	a. 우호적인	a	8
24	a. 민첩한	a	5
25	v. 비방하다, 중상하다	t	7
26	v. 요약하다, 단축시키다	a	7
27	v. 강탈하다, 강요하다	e	6
28	a. 주로 앉아서 지내는	s	9
29	p. A를 고려하다	t	16 (p.)
30	v. 질질 끌다, 지체하다	p	13
31	p. 대체로, 전체적으로 볼 때	o	10 (p.)
32	a. 의심스런; 애매한	d	7
33	p. ~에 대해 곰곰이 생각하다	d	7 (p.)
34	a. 독실한, 경건한	d	6
35	n. 잘못된 생각, 오류, 허위	f	7
36	a. 내재적인, 암시적인	i	8
37	a. 비행의, 태만한; 체납된, 연체된, 미불의	d	10
38	v. 조정하다, 화해시키다; 만족시키다	r	9
39	a. 정도를 벗어난, 변태적인	a	8
40	v. 가입하다, 제휴하다 n. 계열사, 자회사	a	9

종합 TEST

번호	영어	한글	글자수
1	spouse		
2	close call		
3	facile		
4	all the same		
5	induct		
6	commotion		
7	omnibus		
8	penitent		
9	latitude		
10	bring to the table		
11	solidify		
12	patent		
13	intrude		
14	infant		
15	ludicrous		
16	allude		
17	impede		
18	dismal		
19	timorous		
20	sedentary		

종합 TEST

번호	한글	영어	글자수
21	v. 연설하다, 낭독하다; 비난하다	d	7
22	n. 주행기록장치	o	8
23	v. 으뜸패를 내다; 이기다	t	5
24	n. 기능 불량, 오작동	m	11
25	n. 연무, 실안개; 희부연 것 v. 연무로 뒤덮이다	h	4
26	v. 모으다, 축적하다	a	5
27	p. 처음부터, 처음에	a	11 (p.)
28	p. A 단추를 채우다, 잠그다; 포장하다; 개조하다	d	5 (p.)
29	v. 내뿜다, 방출하다	e	4
30	v. 속이다, 기만하다	d	7
31	v. 붙잡아두다	d	6
32	n. 연금; 펜션, 하숙집 v. 연금을 주다	p	7
33	v. 초래하다; (손실을) 입다, (빚을) 지다	i	5
34	p. A는 어떠한가?	w	9 (p.)
35	v. 수혈하다	t	9
36	p. 절정에	a	12 (p.)
37	v. 말을 더듬다, 흔들리다	f	6
38	p. ~에 능숙한	b	11 (p.)
39	p. 잘해봐야	a	9 (p.)
40	n. 상자	c	6

Answers.

Day 1

page 4

번호	정답
1	n. 자두
2	a. 차선의
3	n. 실질적인 것, 진짜
4	p. ~하는 데 도움이 되다
5	v. 가라앉다, 침전하다; 진정되다
6	v. 양념장에 재워두다, 절이다
7	a. 절약하는, 검소한
8	p. A하는 습관을 들이다
9	p. 학용품
10	v. 반대하다; 위반하다
11	p. ~에 반대하는
12	v. 넘다, 벗어나다; 위반하다, 어기다
13	v. 꾸미다, 장식하다
14	v. 덧붙이다, 추가하다
15	n. 무리, 떼
16	v. 침식하다
17	a. 텅 빈 / n. 공간
18	v. 배회하다, 살금살금 거닐다; 빌붙다
19	n. 이타주의, 이타심
20	p. ~에서 분리되다

page 5

번호	정답
21	affluent
22	take leave
23	cacography
24	heterosexual
25	subsidy
26	plumb
27	humble
28	roam
29	take place
30	reprimand
31	at a 형 pace
32	tactful
33	vintage
34	slip away
35	take up
36	shovel
37	at one time
38	the masses
39	lick
40	detente

Day 2

page 7

번호	정답
1	p. ~에 대한 반응
2	v. 묵다, 체류하다
3	n. 신기루
4	n. 광택
5	p. 이러저리 옮기다
6	p. ~로 과감히 들어가보다
7	v. 포기하다, 양도하다, 단념하다
8	n. 주행기록장치
9	n. 윤곽, 외형; 지형선, 등고선
10	p. ~에게 공격적인
11	v. 속이다, 기만하다
12	p. ~에 대한 통제력
13	v. 완전히 파괴하다
14	v. ~에게 명령하다; 금하다
15	n. 대량학살
16	a. 만질 수 있는, 유형의
17	a. 태어난 (고향의), 출생의
18	n. 신학
19	a. 무딘, 퉁명스러운
20	n. 흡인기

page 8

번호	정답
21	make the point that
22	garment
23	take precaution
24	ample
25	quantum physics
26	grievance
27	peculiar
28	be skilled in
29	kin
30	at home
31	archaeology
32	barley
33	notwithstanding
34	rivulet
35	imperative
36	sage
37	tease
38	subtle
39	carnivore
40	act as

page 9

번호	정답
1	n. 이타주의, 이타심
2	v. 가라앉다, 침전하다; 진정되다
3	p. ~을 맡다
4	a. 특유의, 특이한
5	v. 넘다, 벗어나다; 위반하다, 어기다
6	n. 육식동물
7	n. 주행기록장치
8	v. 덧붙이다, 추가하다
9	v. 침식하다
10	p. 학용품
11	n. 흡인기
12	v. 비난하다, 질책하다
13	n. 광택
14	n. 윤곽, 외형; 지형선, 등고선
15	n. 고고학
16	n. 시내, 개울
17	p. ~에 대한 반응
18	a. 이성애의
19	n. 신기루
20	v. 반대하다; 위반하다

page 10

번호	정답
21	tactful
22	cacography
23	enjoin
24	blunt
25	quantum physics
26	kin
27	make the point that
28	take leave
29	roam
30	tease
31	subsidy
32	barley
33	grievance
34	subtle
35	vintage
36	raze
37	adorn
38	suboptimal
39	frugal
40	deceive

Day 3

page 12

번호	정답
1	n. 인도주의자 a. 인도주의적인, 인간애의
2	v. 임신시키다; 주입하다
3	p. 영양제를[알약을] 복용하다
4	n. 사상자, 피해자
5	p. A를 B에게 위임하다
6	n. 곡예사, (정치적 의견, 주의 등의) 변절자
7	p. ~에 기여하다, ~의 원인이 되다
8	p. (고정핀으로) 뒤로 당겨서 묶다, 고정시키다
9	p. ~한 것을 인정하다
10	p. ~을 견디다
11	n. 목장
12	p. 하고 싶은 대로, 내키는 대로
13	v. 유혹하다, 매혹하다
14	n. 배우자
15	v. 굴욕감을 주다, 몹시 당황하게 만들다
16	p. ~을 해고하다
17	v. 꽂아 넣다, 깊이 박다
18	p. 한 눈에, 즉시
19	v. 석방하다, 무죄로 하다; 행동하다, 처신하다
20	n. 창자, 장 a. 본능적인, 근본적인

page 13

번호	정답
21	behalf
22	congregate
23	intrude
24	interdict
25	afflict
26	polarity
27	incidence
28	adjoin
29	tropic
30	dullard
31	confer with
32	brace
33	intermit
34	heterodox
35	missionary
36	ingrain
37	memorabilia
38	antebellum
39	oath
40	repulse

page 14

번호	정답
1	p. ~에 능숙한
2	n. 신학
3	n. 맹세, 서약, 선서; 욕설
4	v. 양념장에 재워두다, 절이다
5	n. 흡인기
6	n. 긴장 완화
7	p. 일어나다, 발생하다
8	n. 광택
9	n. 이타주의, 이타심
10	c. ~에도 불구하고
11	a. 특유의, 특이한
12	p. 영양제를[알약을] 복용하다
13	a. 풍부한
14	v. 유혹하다, 매혹하다
15	p. 국내에서
16	p. 조심하다
17	a. 깊이 배어든, 뿌리 깊은
18	n. 사상자, 피해자
19	n. 양극성, 상반되는 대립
20	n. 불만

page 15

번호	정답
21	antebellum
22	subsidy
23	contour
24	at a glance
25	the real deal
26	school supplies
27	deceive
28	kin
29	erode
30	opposed to N
31	heterosexual
32	take leave
33	tactful
34	append
35	act as
36	lay off
37	lick
38	sojourn
39	serve to do
40	intermit

Day 4

page 17

번호	정답
1	p. 영양제를[알약을] 복용하다
2	n. 줄기; 지팡이
3	n. 얼간이, 멍청이, 바보
4	a. 상호 배타적인
5	p. ~한 것을 인정하다
6	v. 나아가다, 행진하다 n. 3월
7	v. 구체화 하다; 포함하다
8	p. 하고 싶은 대로, 내키는 대로
9	p. 소동을 일으키다
10	v. 괴롭히다, 들볶다
11	v. 썩다, 부식하다; 쇠퇴하다
12	v. 말을 더듬다, 흔들리다
13	v. 임신시키다; 주입하다
14	v. 조직하다; 오케스트라용으로 편곡하다
15	n. 배우자
16	p. 눈깜짝할 사이에
17	n. 유아
18	v. 일시 멈추다, 중단되다
19	n. 시신, 시체
20	v. 굴욕감을 주다, 몹시 당황하게 만들다

page 18

번호	정답
21	allure
22	humanitarian
23	intrepid
24	at fault
25	by the same token
26	lay off
27	blast
28	pin back
29	heterodox
30	delegate A to B
31	at one's expense
32	vigor
33	brevity
34	at all cost
35	convict
36	feint
37	acrobat
38	riverine
39	ranch
40	interdict

page 19

번호	정답
1	a. 깊이 배어든, 뿌리 깊은
2	v. 구체화 하다; 포함하다
3	n. 윤곽, 외형; 지형선, 등고선
4	v. 배회하다, 살금살금 거닐다; 빌붙다
5	v. 취임시키다, 입문시키다; 전수하다
6	n. 맹세, 서약, 선서; 욕설
7	p. 일어나다, 발생하다
8	n. 보조금(pl. subsidies)
9	p. 영양제를[알약을] 복용하다
10	a. 대담한
11	a. 차선의
12	n. 줄기; 지팡이
13	p. ~은 분명하다
14	n. 이익, 원조, 자기편; 지지
15	v. 유혹하다, 매혹하다
16	p. ~을 견디다
17	v. 괴롭히다, 들볶다
18	v. 강요하다; 간섭하다, 방해하다
19	v. 퇴짜놓다, 거절하다
20	n. 육식동물

page 20

번호	정답
21	take leave
22	pin back
23	luster
24	at the outset
25	at home
26	archaeology
27	contravene
28	detente
29	raze
30	casualty
31	school supplies
32	gut
33	at a glance
34	tease
35	plumb
36	reaction to N
37	opposed to N
38	intermit
39	tropic
40	incidence

Day 5

page 22

번호	정답
1	v. 물리치다, 쫓아버리다
2	p. ~로 나아가다
3	n. 구애, 구혼, 약혼 전의 교재
4	v. 물러나다, 희미해지다, 약해지다
5	v. 꾸짖다, 비난하다
6	a. 눈에 띄는, 현저한
7	v. 줄이다, 축소하다, 감소시키다
8	v. 비방하다, 경시하다, ~을 얕보다
9	a. 끊임없이 계속되는, 영원한; 빈번한
10	n. 계급, 위계
11	p. A추가적인 조치를 취하다
12	p. ~에게 승리하다
13	p. 더 자세히 살펴보면
14	v. 거주하다, 살다
15	a. 너무 잘 믿는(속기 쉬움)
16	v. 섞이다, 어우러지다
17	p. ~와 상충하는 / 모순되는
18	v. 눈이 부시게 하다 n. 눈부심, 황홀함
19	n. 탄력성, 회복력
20	n. 논쟁

page 23

번호	정답
21	with regard to
22	carry away
23	prove a point
24	suspend
25	necessitous
26	gravel
27	cringe
28	indigenous
29	diabetes
30	proponent
31	at the expense of
32	dispense
33	superfluous
34	pendulum
35	rebel
36	antinomy
37	spine
38	apprehend
39	scavenger
40	come out ahead

page 24

번호	정답
1	a. 반드시 해야하는, 필수적인; 강제적인, 긴급한
2	n. 지지자
3	n. 구애, 구혼, 약혼 전의 교재
4	n. 무리, 떼
5	n. 현자
6	p. 한꺼번에, 동시에; 일찍이, 한 때
7	n. 반역자, 반항아 v. 반란을 일으키다
8	p. 국내에서
9	p. 기어코, 어떠한 희생을 치르더라도
10	p. 소동을 일으키다
11	n. 극빈자, 빈민
12	v. 임신시키다; 주입하다
13	v. 이해하다, 염려하다; 체포하다
14	p. 결국 이득을 보다
15	p. ~에 대한 통제력
16	p. A추가적인 조치를 취하다
17	n. 보리
18	v. ~의 탓으로 하다
19	p. 잘못이 있는, 책임이 있는
20	n. 헌사, 공물

page 25

번호	정답
21	bear with
22	adorn
23	confer with
24	induct
25	void
26	tactful
27	cacography
28	allure
29	brute
30	adjoin
31	heterodox
32	spatial
33	contagious
34	odometer
35	feint
36	acrobat
37	virtuosic
38	tropic
39	interdict
40	plum

Day 6

page 27

번호	정답
1	v. 피켓 시위를 하다
2	p. 멀리서[거리를 두고]
3	p. 추상적으로, 관념적으로
4	v. 암시하다, 함축하다, 내포하다
5	n. 예탄올
6	n. 바른, 확고한 위치
7	p. 미끼를 물다
8	n. (여자의) 가슴; 단란함
9	a. 실행 가능한, 그럴듯한
10	p. 처음에는[언뜻 보기에는], 처음 봐서는
11	n. 도구, 기구
12	p. ~의 나이로
13	v. 모으다, 축적하다
14	a. 소아과의
15	p. (찬찬히) 살펴보다, 점검하다; 재고 조사하다
16	n. 투표권, 선거권
17	a. 예고의, 전조의
18	n. 복장
19	a. 시청각의
20	p. 잘해봐야

page 28

번호	정답
21	acne
22	factor in
23	jurisdiction
24	disperse
25	come on
26	at the rate of
27	arithmetic
28	fluctuate
29	telling
30	underdog
31	solitary
32	voyage
33	contend
34	ensue
35	poverty
36	acquisitiveness
37	specimen
38	endear
39	disparate
40	pox

page 29

번호	정답
1	n. 인도주의자 a. 인도주의적인, 인간애의
2	n. 긴장 완화
3	v. 구체화 하다; 포함하다
4	n. 자두
5	a. 만질 수 있는, 유형의
6	n. 나머지, 잔여, 자취
7	a. 끊임없이 계속되는, 영원한; 빈번한
8	v. 주장하다, 논쟁하다; 다투다
9	p. 눈깜짝할 사이에
10	p. ~하는 데 도움이 되다
11	p. ~과 관련하여, ~에 대해
12	p. 반드시 ~하다
13	v. 붙어 있다, 인접하다
14	a. 무딘, 통명스러운
15	a. 눈에 띄는, 현저한
16	v. 속이다, 기만하다
17	n. 주행기록장치
18	n. 불만
19	v. 유혹하다, 매혹하다
20	n. 무리, 떼

page 30

번호	정답
21	make A a regular habit
22	tribute
23	interdict
24	ample
25	mutually exclusive
26	vintage
27	be skilled in
28	controversy
29	at the age of
30	rivulet
31	riverine
32	scavenger
33	endear
34	cacography
35	mooch
36	the masses
37	tactful
38	raze
39	quantum physics
40	at the expense of

Day 7

page 32

번호	정답
1	p. 당면한
2	p. ~을 정확히 밝히다
3	n. 관세, 요금표
4	n. 체육관, (실내) 경기장
5	n. 대수학
6	n. 기록, 자료 수집
7	a. 수사적인, 미사여구식의, 과장이 심한
8	n. 정전, 단수
9	p. ~ 배로
10	p. 조치를 취하다
11	v. 폐지하다, 없애다
12	a. 분개한, 성난
13	v. 이해하다
14	v. 새 풍토에 길들이다
15	p. 철수하다, 빼다, 벗어나다
16	n. 접합, 교차점, 분기점
17	n. 용서 v. 용서하다
18	a. 완전한, 손상되지 않은
19	v. 판결하다, 선고하다
20	p. 숨이 가쁜, 숨을 쉴 수 없는

page 33

번호	정답
21	abuse
22	double back on oneself
23	arrogate
24	carton
25	posterity
26	surge
27	moron
28	close call
29	fuss
30	alleviate
31	at its highest
32	anguish
33	an array of
34	wavelength
35	reign
36	pulp
37	embryo
38	consort
39	domineer
40	avert

page 34

번호	정답
1	v. 유죄를 선고하다 n. 죄수
2	v. 암시하다, 함축하다, 내포하다
3	p. ~에 대한 반응
4	v. 포기하다, 양도하다, 단념하다
5	p. 많은
6	n. 자갈
7	n. 전도사, 선교사
8	v. 귀화시키다
9	n. 복장
10	p. ~이라는 주장을 하다
11	n. 실질적인 것, 진짜
12	v. 일시 중지하다; 정직시키다; 연기하다; 매달다
13	n. 맹세, 서약, 선서; 욕설
14	v. 굴욕감을 주다, 몹시 당황하게 만들다
15	p. (고정핀으로) 뒤로 당겨서 묶다, 고정시키다
16	p. 작별을 고하다
17	a. 재치있는
18	p. ~에 기여하다, ~의 원인이 되다
19	v. 새 풍토에 길들이다
20	a. 충분한

page 35

번호	정답
21	dullard
22	mingle
23	specimen
24	hierarchy
25	pin down
26	ensue
27	quantum physics
28	picket
29	carnivore
30	antebellum
31	take up
32	brevity
33	algebra
34	junction
35	proponent
36	credulous
37	make one's way to
38	pulp
39	spouse
40	cacography

Day 8

page 37

번호	정답
1	a. 보조의
2	n. 교구; 행정구
3	n. 경의; 존경의 표시
4	n. 공자(유교의 창시자)
5	n. 정권, 제도, 체제
6	a. 낡은, 오래된
7	n. 죄인, 악인
8	p. (공포 따위가) ~을 엄습하다
9	v. 주장하다, 단언하다
10	p. A와 안면은 있다
11	v. 부식하다
12	a. 뻣뻣한, 딱딱한; 치열한; 강한 n. 시체
13	v. 코를 킁킁거리다; (촛불 같은 것을) 끄다
14	v. 초래하다; (손실을) 입다, (빚을) 지다
15	n. 간교한 속임수
16	a. 별난, 괴상한, 불규칙한
17	v. ~에 앞서다, 날짜를 앞당기다
18	a. 잡기에 적합한; 이해력이 있는
19	p. 변함없이
20	n. 옷, 복장, 의류

page 38

번호	정답
21	dwindle
22	atypical
23	rooted in
24	fatal
25	splendid
26	goods and services
27	calculus
28	amnesia
29	decry
30	line of attack
31	wipe out
32	transmittance
33	barter
34	suffocate
35	at length
36	fit A like a glove
37	punctual
38	ludicrous
39	scrutinize
40	take up the issue

page 39

번호	정답
1	n. 양자 물리학
2	p. 대처 방안
3	n. 양극성, 상반되는 대립
4	n. 헌사, 공물
5	v. 피켓 시위를 하다
6	a. 적대적인, 공격적인
7	a. 시청각의
8	a. 완전한, 손상되지 않은
9	v. 초래하다; (손실을) 입다, (빚을) 지다
10	p. A추가적인 조치를 취하다
11	p. ~을 해고하다
12	v. 일시 중지하다; 정직시키다; 연기하다; 매달다
13	v. 퇴짜놓다, 거절하다
14	p. 멸종시키다
15	v. 가라앉다, 침전하다; 진정되다
16	n. 공자(유교의 창시자)
17	v. 세밀히 조사하다
18	p. 변함없이
19	n. 배우자
20	n. 주행기록장치

page 40

번호	정답
21	at the outset
22	tangible
23	humble
24	adjoin
25	affluent
26	by a factor of
27	triumph over
28	mutually exclusive
29	induct
30	auxiliary
31	embryo
32	notwithstanding
33	mooch
34	except to do
35	indigenous
36	fatal
37	ranch
38	blast
39	relinquish
40	dazzle

Day 9

page 42

번호	정답
1	a. 촉각의
2	n. 배경
3	n. 허위, 거짓말
4	n. 설교
5	adv. 아마
6	p. 막다, 제지하다
7	v. 밀어내다, 쫓아내다
8	n. 별표
9	n. 비난, 책망 v. 비난하다
10	n. 귀리
11	n. 찡그림 v. 눈살을 찌푸리다
12	p. 아무튼, 어떤 경우에도
13	p. ~와 거의 동일하다, ~에 미치지 못하다
14	p. 잘 어울리다
15	v. ~을 포기하다, 버리다; 관계를 끊다
16	n. 일치, 조화
17	v. 코를 골다
18	n. 이중극, 쌍극자
19	n. 고리 (모양); 루프
20	a. 설치류의 n. 설치류 동물, 쥐

page 43

번호	정답
21	call names
22	progeny
23	assimilate
24	rash
25	rustic
26	hot under the collar
27	timorous
28	confer
29	avocation
30	amenity
31	crook
32	trousers
33	grow on
34	in a big way
35	ail
36	as far as it goes
37	stray
38	deject
39	aviation
40	be done with

page 44

번호	정답
1	n. 비굴한 태도 v. 굽실대다
2	a. 시청각의
3	a. 깊이 배어든, 뿌리 깊은
4	n. 별표
5	v. 넘다, 벗어나다; 위반하다, 어기다
6	v. 모이다, 집합시키다
7	n. 용서 v. 용서하다
8	n. 짐승, 야수 a. 힘에만 의존하는
9	a. 완전한, 손상되지 않은
10	n. 공자(유교의 창시자)
11	v. 학대하다; 남용하다, 오용하다
12	v. 일시 멈추다, 중단되다
13	n. 부업; 취미
14	n. 맹세, 서약, 선서; 욕설
15	n. 논쟁
16	v. 물러나다, 희미해지다, 약해지다
17	v. 암시하다, 함축하다, 내포하다
18	a. 겁 먹은
19	n. (남성용) 바지
20	n. 물욕, 탐욕

page 45

번호	정답
21	indigenous
22	suffocate
23	ranch
24	superfluous
25	on closer inspection
26	subsidy
27	brevity
28	pox
29	tribute
30	alleviate
31	assumedly
32	the real deal
33	carton
34	gravel
35	theology
36	subtle
37	mutually exclusive
38	induct
39	perpetual
40	relinquish

Day 10

page 47

번호	정답
1	a. 암울한, 음습한
2	p. 사용에 따라, 관행상
3	n. 다신론, 다신교
4	n. 유물, 유적
5	n. 아가미
6	a. 손쉬운, 수월한
7	v. 언급하다; 주목하다
8	v. (먼 것을) 발견하다
9	v. 활짝 웃다
10	v. 복제하다; 모사하다 a. 반복된
11	p. 행운을 빌다
12	a. ~에 정통한, 잘 알고 있는
13	a. 터무니 없는, 불합리한 n. 부조리, 불합리
14	p. ~중에 많이, 더, 더 많이
15	v. 진압하다, 억누르다
16	v. 수혈하다
17	n. 동맥; 주요 도로
18	n. 파충류
19	v. 묽게 하다; 약하게 하다
20	v. ~을 비난하다

page 48

번호	정답
21	in proportion to
22	entreat
23	have a good head on one's shoulders
24	pasture
25	celerity
26	recant
27	poke one's nose into
28	write a good hand
29	despond
30	gaze
31	levy
32	ruddy
33	lodge
34	to begin with
35	annul
36	absently
37	swarm
38	include out
39	have a hand in
40	poignant

page 49

번호	정답
1	v. 꾸미다, 장식하다
2	v. 진압하다, 억누르다
3	n. 대수학
4	a. 시청각의
5	n. 미적분학; 계산법; 석탄
6	v. 주다, 수여하다; 상담하다
7	a. 충분한
8	a. 차선의
9	n. 포도주, 포도 수확연도 a. 오래됨, 오래된
10	n. 귀리
11	a. 깊이 배어든, 뿌리 깊은
12	a. 설치류의 n. 설치류 동물, 쥐
13	v. 물러나다, 희미해지다, 약해지다
14	v. 석방하다, 무죄로 하다; 행동하다, 처신하다
15	vi. 낙심하다, 실망하다
16	p. 작별을 고하다
17	v. 덧붙이다, 추가하다
18	p. 욕하다, 맞욕하다
19	n. 배경
20	v. 취소하다, 철회하다

page 50

번호	정답
21	line of attack
22	humble
23	poignant
24	go well with
25	at its highest
26	double back on oneself
27	at a glance
28	absurd
29	solitary
30	rash
31	venture into
32	levy
33	slip away
34	acrobat
35	at fault
36	ensue
37	in a big way
38	facile
39	archaic
40	deject

Day 11

page 52

번호	정답
1	v. 으뜸패를 내다; 이기다
2	p. 이 점에 있어서는
3	v. 고통을 가하다, 주다
4	a. 가담한, 공모한, 공범의
5	p. 어찌할 바를 몰라
6	p. A 그리고 B 때문에
7	p. 해결하다
8	p. 승부에 지다
9	n. 양자
10	a. 생각에 잠긴
11	v. ~을 취소하다, 폐지하다
12	n. 경솔, 변덕, 경솔한 행위
13	a. 참회하는, 뉘우치는 n. 참회자
14	n. 근접
15	p. 텔레비전에
16	v. (지위·권력·명예 등을) 높이다, 찬미하다
17	v. 반박하다, 논쟁하다; 싸움, 논쟁
18	n. 미로; 혼란
19	v. 단언하다, 공언하다
20	n. 몸부림, 고통

page 53

번호	정답
21	utilitarianism
22	feast
23	haul
24	authentic
25	gross
26	chubby
27	humiliate
28	juvenile
29	shelf-stable
30	intoxicate
31	denature
32	cabbage
33	aborigine
34	recess
35	adverse
36	rust
37	come off
38	by a hair's breadth
39	absolve
40	make believe

page 54

번호	정답
1	v. 배회하다, 돌아다니다
2	a. 텅 빈 / n. 공간
3	a. 진정한, 진짜의
4	v. 활짝 웃다
5	a. 시청각의
6	p. 그 정도까지
7	a. 차선의
8	p. 막다, 제지하다
9	[illegible]
10	v. 수혈하다
11	p. 학용품
12	p. 눈깜짝할 사이에
13	p. A 그리고 B 때문에
14	p. 당면한
15	p. ~을 견디다
16	v. 양념장에 재워두다, 절이다
17	n. 윤곽, 외형; 지형선, 등고선
18	n. 줄기; 지팡이
19	p. (고정핀으로) 뒤로 당겨서 묶다, 고정시키다
20	p. ~에 비례하여

page 55

번호	정답
21	underdog
22	agony
23	dispute
24	ingrain
25	heterosexual
26	humanitarian
27	poke one's nose into
28	indignant
29	jurisdiction
30	cabbage
31	double back on oneself
32	on closer inspection
33	swarm
34	poverty
35	in any event
36	sort out
37	in the abstract
38	at the age of
39	apprehend
40	brevity

Day 12

page 57

번호	정답
1	p. 비밀을 털어놓다
2	n. 장수; 수명
3	n. 회계 감사, 심사; 청강 v. 청강하다
4	a. 일상적인, 재미없는 n. 세속
5	p. 이런 저런 일들 때문에 (바빠서)
6	p. 공유
7	p: ~하는 것을 규칙으로 삼다
8	p. 자연 그대로의, 날것 그대로의, 벌거벗고
9	p. 식물 재배의 재능
10	v. 휴회하다, 중단하다, 연기하다; 자리를 옮기다
11	n. 석유
12	v. 꽃이 피다 n. 개화; 건강한 혈색
13	v. 붙잡아두다
14	n. 응접실, 가게, 거실
15	n. 꽃가루, 화분
16	n. 소매, 소맷자락
17	n. 경외심 v. 경외심을 느끼다
18	p. ~에 매달리다, 꼭 잡다
19	a. 감각이 없는, 멍한
20	p. ~에 접근하다, ~와 면회하다

page 58

번호	정답
21	redeem
22	heir
23	trepid
24	nasal
25	confront
26	constable
27	stake
28	for this once
29	meadow
30	conspire
31	lay the foundation
32	calf
33	fame
34	impromptu
35	plea
36	orphan
37	jest
38	intersperse
39	pitfall
40	pungent

page 59

번호	정답
1	n. 물물 교환 v. 물건을 교환하다
2	v. 석방하다, 무죄로 하다; 행동하다, 처신하다
3	n. 포도주, 포도 수확연도 a. 오래됨, 오래된
4	a. 실행 가능한, 그럴듯한
5	p. 텔레비전에
6	n. 접합, 교차점, 분기점
7	p. 일어나다, 발생하다
8	n. 경의; 존경의 표시
9	a. 너무 잘 믿는(속기 쉬움)
10	n. 비굴한 태도 v. 굽실대다
11	n. 녹 v. 녹슬다, 부식하다
12	a. 즉석의 adv. 즉흥으로
13	n. 자두
14	v. 물러나다, 희미해지다, 약해지다
15	p. 결국 이득을 보다
16	v. 이해하다, 염려하다; 체포하다
17	p. ~에 능숙한
18	p. ~한 속도로
19	p. 이 점에 있어서는
20	p. 대중

page 60

번호	정답
21	at the rate of
22	congregate
23	line of attack
24	gain access to
25	confer with
26	at the outset
27	calculus
28	arithmetic
29	carton
30	convict
31	cacography
32	suffocate
33	tactile
34	spine
35	denounce
36	except to do
37	rivulet
38	confer
39	tropic
40	have a hand in

Day 13

page 62

번호	정답
1	v. [낙태]하다, 유산하다; 중단하다, 실패하다
2	v. 곰곰이 생각하다, 심사숙고하다
3	n. 난쟁이
4	n. 자만심, 자부심
5	p. 심호흡을 하다
6	v. 혐오하다
7	v. 실패하다, 유산하다
8	n. 처녀, 성모 a. 순수한
9	p. 두드러지다, 눈에 띄다
10	n. 순록
11	p. 구경하다
12	n. 위엄, 존엄
13	n. 해독, 소독
14	p. 아량을 베풀다
15	n. 잠, 수면 v. 잠자다
16	n. 복도
17	p. A는 어떠한가?
18	p. 단계적으로 도입하다
19	n. 고소 공포증
20	v. 부화하다

page 63

번호	정답
21	solidify
22	notorious
23	accede
24	eloquent
25	a visit from the stork
26	rip off
27	artifice
28	progency
29	contiguous
30	aggrandize
31	accession
32	ruth
33	deteriorate
34	clamorous
35	consolidate
36	contrive
37	populist
38	of service
39	well off
40	pneumonia

page 64

번호	정답
1	v. 실패하다, 유산하다
2	n. 곡예사, (정치적 의견, 주의 등의) 변절자
3	n. 항해, 여행
4	p. 대처 방안
5	p. 조치를 취하다
6	p. ~에 뿌리를 둔
7	n. 석유
8	v. 말을 더듬다, 흔들리다
9	a. 시간을 엄수하는, 기한을 지키는
10	v. 모이다, 집합시키다
11	n. 모순; 이율 배반
12	v. 묵다, 체류하다
13	a. 통통한, 토실토실한
14	v. 확대하다, 강화하다, 증대시키다
15	n. 활기, 활력
16	n. 자갈
17	v. 붙어 있다, 인접하다
18	n. 별표
19	p. 미끼를 물다
20	v. 석방하다, 무죄로 하다; 행동하다, 처신하다

page 65

번호	정답
21	longevity
22	subsidy
23	plum
24	abuse
25	detain
26	intact
27	splendid
28	hot under the collar
29	lose the day
30	by a factor of
31	constable
32	at one time
33	amass
34	short of breath
35	trepid
36	void
37	except to do
38	guile
39	cane
40	riverine

Day 14

page 67

번호	정답
1	p. 좋아, 한 번 해봐
2	n. 균류, 곰팡이류; 균상종
3	p. 일거양득이다
4	n. 원한, 유감
5	v. 찰싹 때리다
6	p. ~에 큰 영향을 미치다
7	n. 보상(금)
8	n. 유전
9	v. 만기가 되다, 끝나다
10	v. 던져넣다; 뛰어들다; 급락하다
11	n. 악인, 악한
12	v. 뉘우치다, 회개하다
13	p. 해결하다; 다리미질하다
14	a. 거의 없는, 부족한
15	p. 순간적으로 주저하다
16	v. 뒤얽히게 하다, 관련지우다, 꼬아 짜다
17	n. 살, 고기, 육체
18	v. 팽창시키다
19	p. ~이 쪼들리다, 내쫓기다
20	p. 지치게 하다; 닳아서 헤지다

page 68

번호	정답
21	vinegar
22	seduce
23	rehabilitate
24	relegate
25	track down
26	liberal
27	in search of
28	methodical
29	crucial
30	compensate
31	asperse
32	banish
33	marvelous
34	virtu
35	retina
36	creep
37	gourmet
38	nothing but
39	haze
40	discern

page 69

번호	정답
1	n. 포도주, 포도 수확연도 a. 오래됨, 오래된
2	n. 투과율
3	v. ~에게 명령하다; 금하다
4	p. ~한 것을 인정하다
5	a. 암울한, 음습한
6	n. 헌사, 공물
7	a. 진정한, 진짜의
8	n. 폐렴
9	a. 뻣뻣한, 딱딱한; 치열한; 강한 n. 시체
10	n. 거짓 꾸밈, 가장
11	p. 이 점에 있어서는
12	p. 부유한; 충분한
13	a. 거창다운, 거장의
14	p. ~을 해고하다
15	n. 짐승, 야수 a. 힘에만 의존하는
16	v. 가라앉다, 침전하다; 진정되다
17	n. 발생률, 빈도
18	a. 맞닿아 있는, 인접한; 연속된
19	v. 초래하다; (손실을) 입다, (빚을) 지다
20	a. 반드시 해야하는, 필수적인; 강제적인, 긴급한

page 70

번호	정답
21	spank
22	rehabilitate
23	subdue
24	surge
25	proponent
26	gain access to
27	cringe
28	alleviate
29	leave a mark on
30	dignity
31	go well with
32	impute
33	take stock
34	pauper
35	audit
36	at all cost
37	double back on oneself
38	nothing but
39	suboptimal
40	draw a deep breath

Day 15

page 72

번호	정답
1	n. 풍자, 해학
2	a. 외설한, 음란한
3	a. 죽어야 할 운명의, 치명적인; 죽게 마련인
4	p. ~에 압박을 가하다
5	a. 호전적인
6	n. 항해 중 고통(배멀미)
7	v. 재발하다, 반복되다
8	v. 깜짝 놀라게 하다
9	prep. 가운데에, ~으로 에워싸인
10	p. ~하게 되다
11	n. 서자,사생아; 나쁜 놈; 잡종
12	p. 가슴에 뼈저리게 사무치다
13	n. 원정, 탐험
14	n. 학부, 교수진; 재능
15	p. 인기가 있다, 평판이 좋다
16	v. 죽이다, 살해하다
17	n. 악마, 악몽; 압박하는 일, 압박하는 사람
18	v. 제소하다, 소송하다
19	n. 천식
20	p. ~할 것 같다

page 73

번호	정답
21	psychiatric
22	apposite
23	be content to do
24	adjacent
25	ablaze
26	province
27	queer
28	be up for
29	faucal
30	varnish
31	savage
32	omen
33	of necessity
34	apparatus
35	substitute A with B
36	constituency
37	on exhibit
38	creed
39	reciprocate
40	collision

page 74

번호	정답
1	a. 고독한, 혼자의
2	a. 강변의
3	n. 다신론, 다신교
4	p. ~을 고려하다, ~을 계산에 넣다
5	n. 시신, 시체
6	n. 보조금(pl. subsidies)
7	v. ~을 내쫓다, 좌천시키다
8	p. A에 맞춘 듯이 꼭 맞아떨어지다
9	p. 상온에서 오래 상하지 않는
10	v. 줄이다, 축소하다, 감소시키다
11	v. 물리치다, 쫓아버리다
12	a. 죽어야 할 운명의, 치명적인; 죽게 마련인
13	p. 인기가 있다, 평판이 좋다
14	[illegible]
15	p. 공유
16	v. 놀리다, 못살게 굴다
17	a. 절약하는, 검소한
18	n. 서자,사생아; 나쁜 놈; 잡종
19	p. ~에 비례하여
20	a. 암울한, 음습한

page 75

번호	정답
21	plum
22	acrobat
23	school supplies
24	nasal
25	miscarry
26	pulp
27	plumb
28	replicate
29	alleviate
30	contrive
31	bosom
32	spine
33	gaze
34	poignant
35	wavelength
36	green thumb
37	incidence
38	missionary
39	joint
40	dipole

Day 16

page 77

번호	정답
1	n. 가장자리, 길가 v. ~에 가까워지다
2	a. 복수심에 불타는
3	n. 경도
4	v. 수리하다
5	conj. ~하지 않도록
6	n. 오두막집, 시골 집
7	v. 따르다; 미루다, 연기하다
8	n. 급정지; 장애 v. 매다, 연결하다; 얻어 타다
9	a. 드문드문한, 부족한, 희박한
10	n. 영장류
11	p. 최첨단의
12	v. 괴롭히다
13	p. ~의 안부를 묻다
14	p. ~의 처분에 맡겨져
15	n.. 역경, 곤경 v. 맹세하다
16	a. 사려깊은, 현명한
17	v. 퇴위하다, 포기하다
18	v. 약해지다, 시들해지다 n. 감소, 쇠퇴
19	n. (독단적인) 신조, 도그마
20	n. 속편, 후속

page 78

번호	정답
21	on the grounds of
22	no sooner A than B
23	solicit
24	senator
25	aftermath
26	pension
27	dew
28	disparity
29	rhinoceros
30	denote
31	put A to death
32	get the message
33	malaria
34	somnambulism
35	to the contrary
36	unheard-of
37	attire
38	refract
39	one after the other
40	pedagogy

page 79

번호	정답
1	n. 치안관, 순경, 경관
2	n. 옷, 복장, 의류
3	p. 어찌할 바를 몰라
4	n. 척추, 등뼈; 가시
5	p. 텔레비전에
6	p. 멀리서[거리를 두고]
7	p. 학용품
8	a. 우스운
9	v. 나아가다, 행진하다 n. 3월
10	n. 비굴한 태도 v. 굽실대다
11	n. 균류, 곰팡이류; 균상종
12	v. 비난하다
13	n. 살, 고기, 육체
14	a. 정신 질환의
15	p. ~을 끝내다
16	p. ~하게 되다
17	p. 아기의 출생
18	v. 유혹하다, 매혹하다
19	n. 미식가
20	p. 간신히, 겨우, 아슬아슬하게

page 80

번호	정답
21	sequel
22	mutually exclusive
23	at a 형 pace
24	in the raw
25	trepid
26	lay off
27	brevity
28	loop
29	adorn
30	scavenger
31	conspire
32	mundane
33	admit to N
34	vigor
35	longitude
36	reproach
37	shelf-stable
38	in the abstract
39	take precaution
40	avocation

Day 17

page 82

번호	정답
1	n. 어원학
2	a. 민족의, 종족의
3	n. 물집, 수포, 발포
4	v. 어지럽히다
5	a. 아주 멋진, 화려한
6	n. 침착, 균형 v. 균형 잡히게 하다
7	v. 가정하다, 추측하다
8	p. ~을 끝까지 수행하다
9	v. 거르다, 선별하다
10	n. 주연, 주인공; 주창자, 지도자
11	v. ~에게 변상하다, 갚다
12	a. 아직 해결되지 않은, 보류 중인
13	p. 뒤척이다
14	n. 동맹국, 동지; 공모자 v. 다국적으로 연맹하다
15	n. 절제, 금욕
16	p.~에 몰두하다
17	v. 놀라게 하다
18	a. 신중을 요하는, 민감한; 허약한; 맛있는
19	n. (핵·세포 등의) 분열
20	v. 천천히 거닐다 n. 산책

page 83

번호	정답
21	acclaim
22	hop
23	do with
24	in a daze
25	pedestal
26	stalk
27	get down to
28	abet
29	applaud
30	feeble
31	get on with
32	be on the point of -ing
33	go about
34	emit
35	apathy
36	robust
37	hand-on
38	hum
39	admonish
40	annuity

page 84

번호	정답
1	n. 회계 감사, 심사; 청강 v. 청강하다
2	n. 순록
3	a. 일상적인, 재미없는 n. 세속
4	p. ~하는 데 도움이 되다
5	p. 이번만은
6	a. 빛나서; 열광하여
7	v. 언급하다; 주목하다
8	n. 여드름
9	v. 거르다, 선별하다
10	n. 발진, 뾰루지 a. 성급한
11	a. 촉각의
12	a. 끊임없이 계속되는, 영원한; 빈번한
13	p. 기초 공사를 하다, 기초를 놓다
14	n. 고고학
15	n. 경외심 v. 경외심을 느끼다
16	p. 간섭하다, ~을 꼬치꼬치 캐묻다
17	n. (여자의) 가슴; 단란함
18	p. 기꺼이 ~하다
19	n. 이익, 원조, 자기편; 지지
20	p. ~의 부담으로

page 85

번호	정답
21	swarm
22	marinate
23	abort
24	stand to do
25	by usage
26	miss a beat
27	recur
28	despond
29	audiovisual
30	substitute A with B
31	senator
32	splendid
33	intact
34	be detached from
35	ask after
36	controversy
37	renounce
38	chubby
39	what with one thing and another
40	pollen

Day 18

page 87

번호	정답
1	p. ~에게 부탁을 하다
2	n. 알갱이, 작은 입자
3	v. 삼가다, 그만두다
4	a. 평온한
5	n. 고통, 괴로움, 고뇌; 곤궁, 빈곤
6	n. 학생; 눈동자(동공)
7	n. 성직자
8	a. 순진해 빠진, 경험이 없는
9	p. 처음부터
10	v. 숨기다, 시치미떼다, 가장하다
11	v. 고통을 주다, 괴롭히다
12	v. 가볍게 두드리다; 비난하다 a. 황홀해 하는
13	v. 유리를 끼우다; 유약을 칠하다 n. 유약
14	v. 의견이 일치하다
15	n. 도피(처), 피난(처)
16	v. 찌르다, 자극하다
17	v. 맞물리다, 연결하다
18	p. A를 B와 관련시키다
19	n. 맛, 즐거움 v. 즐기다
20	p. 얼굴을 맞댄, 직접적인

page 88

번호	정답
21	make at
22	come to terms with
23	shabby
24	sabotage
25	commotion
26	weep
27	drudgery
28	intrinsic
29	in the ratio of
30	hinder
31	forbear
32	correspond to N
33	meteor
34	repress
35	puddle
36	digress
37	complacent
38	timescale
39	behave oneself
40	speak of the devil

page 89

번호	정답
1	v. 으뜸패를 내다; 이기다
2	v. 음모를 꾸미다; 공모하다
3	p. 구경하다
4	a. 미묘한, 감지하기 힘든, 교묘한
5	a. 평온한
6	[illegible]
7	n. 고소 공포증
8	n. 해독, 소독
9	n. 순록
10	n. 나머지, 잔여, 자취
11	n. 회계 감사, 심사; 청강 v. 청강하다
12	p. 대중
13	p. ~에 비례하여
14	v. 벗어나다
15	p. ~하게 되다
16	n. 곡예사, (정치적 의견, 주의 등의) 변절자
17	p. ~을 끝내다
18	n. 가난
19	v. 귀화시키다
20	v. (지위·권력·명예 등을) 높이다, 찬미하다

page 90

번호	정답
21	connote
22	arrogate
23	dipole
24	slip away
25	afflict
26	school supplies
27	at pleasure
28	denote
29	apprehend
30	interdict
31	pasture
32	faucal
33	absurd
34	serve two ends
35	crook
36	pulp
37	corrode
38	fit A like a glove
39	tribute
40	come on

Day 19

page 92

번호	정답
1	v. 방해하다
2	n. 우화, 비유담
3	v. 관통하다, 침투하다
4	n. 악의, 원한
5	p. 중요하게 여기다
6	v. 논박하다
7	v. 뿌리째 뽑다, 근절하다
8	a. 공략할 수 있는, 취약점이 있는
9	p. 가장 가까운 직선거리로
10	a. 끔찍한, 고약한, 더러운
11	a. 휴면기의, 잠복 중인
12	v. 타락시키다, 왜곡하다; 악용하다
13	n. 건축 밖 용도의 재목; 수목, 목재, 대들보
14	a. 사소한, 하찮은, 옹졸한
15	p. 해명하다, ~을 비추다
16	v. 혐오하다, 증오하다
17	n. 절망 v. 절망하다
18	n. 무질서
19	p. ~을 고려하여
20	n. 부조화음, 불협화음, 불일치

page 93

번호	정답
21	collect on
22	round the clock
23	desist
24	trespass
25	let out
26	turmoil
27	conduce
28	shrub
29	malevolent
30	salute
31	omnibus
32	run for
33	tidy
34	carbon footprint
35	irrupt
36	do A up
37	contingent
38	prognosis
39	induce
40	retrieve

page 94

번호	정답
1	v. 계속해서 일어나다
2	v. 뉘우치다, 회개하다
3	v. 깡충 뛰다
4	v. 반박하다, 논쟁하다; 싸움, 논쟁
5	v. 코를 골다
6	a. 소아과의
7	v. 떠받치다 n. 버팀목, 버팀대; 치아 교정기
8	p. 좋아, 한 번 해봐
9	v. 억제하다, 진압하다
10	p. ~을 고려하다, ~을 계산에 넣다
11	n. 구부리다; 사기꾼
12	p. 24시간 내내
13	v. 떨어뜨리다
14	n. 슬픔, 비애, 후회: 불운, 재난
15	a. 민족의, 종족의
16	a. 잡기에 적합한; 이해력이 있는
17	a. 중요한, 결정적인
18	v. 내뿜다, 방출하다
19	a. 충분한
20	n. 보상(금)

page 95

번호	정답
21	dissimulate
22	hand-on
23	applaud
24	abort
25	feeble
26	impede
27	irrupt
28	corridor
29	shabby
30	acne
31	what with one thing and another
32	apathy
33	of service
34	unison
35	sermon
36	accession
37	slay
38	pendulum
39	detente
40	be up for

Day 20

page 97

번호	정답
1	n. 인류학
2	a. 제 때가 아닌; 너무 이른
3	v. 해부하다, 분석하다
4	v. ~을 불안하게 하다; 불안
5	v. 생략하다, 축약하다
6	v. 물을 대다, 관개하다
7	v. 게걸스레 먹다; 삼켜버리다; 파괴하다
8	v. 호기심을 불러일으키다; 모의하다 n. 음모
9	p. 회상하다
10	p. 효력이 발생하다
11	n. 대리인, 변호사
12	p. 배제하다, 제외시키다
13	v. 구출시키다, 탈출시키다
14	a. 위생의, 위생적인
15	v. ~을 논박하다, 반박하다
16	p. 깊숙이, 핵심까지
17	a. 거만한, 오만한
18	n. 지형, 지역, 지세
19	v. 달래다
20	p. 소문이 돌았다

page 98

번호	정답
21	racism
22	malfunction
23	deviate
24	advocate
25	trivial
26	tremendous
27	diagonal
28	out of tune
29	aggregate
30	contemn
31	all at once
32	intricate
33	breast
34	horticultural
35	vanguard
36	retract
37	of name
38	be in the way
39	antagonist
40	bring on

page 99

번호	정답
1	a. 설치류의 n. 설치류 동물, 쥐
2	a. 뻣뻣한, 딱딱한; 치열한; 강한 n. 시체
3	n. (어떤 일에 소요되는) 기간
4	v. 가라앉다, 침전하다; 진정되다
5	v. 약해지다, 시들해지다 n. 감소, 쇠퇴
6	v. 논박하다
7	v. 헐뜯다, 비방하다
8	v. 학대하다; 남용하다, 오용하다
9	[illegible]
10	p. A하자마자 B
11	n. 오두막집, 시골 집
12	v. 보답하다
13	a. 신랄한
14	p. ~의 처분에 맡겨져
15	v. 구체화 하다; 포함하다
16	p. 미끼를 물다
17	n. 옷, 복장, 의류
18	p. 하고 싶은 대로, 내키는 대로
19	v. 취소하다, 철회하다
20	n. 대리인, 변호사

page 100

번호	정답
21	adverse
22	move around
23	intact
24	go well with
25	forbear
26	controversy
27	humiliate
28	salute
29	dispute
30	have a good head on one's shoulders
31	conspire
32	savage
33	fatal
34	substitute A with B
35	relinquish
36	domineer
37	acquisitiveness
38	tribute
39	humble
40	refuge

Day 21

page 102

번호	정답
1	v. 한 곳에 모이다
2	n. 나뭇가지; 지점, 지사
3	n. 기상학
4	v. 보다, 바라보다
5	v. 동거하다, 양립하다
6	v. 붙다, 응집하다; 일관성있다
7	v. 명확하게 하다, 정화하다
8	n. 선례, 판례, 전례
9	p. ~을 감당하기에 너무한
10	p. 심부름하다
11	v. 빼내다, 쫓아내다
12	v. 베끼다, 필기하다
13	v. 동시에 일어나다; 일치하다
14	p. A를 의심하다
15	a. 무상한, 일시의, 덧없는; 단기 투숙객, 부랑자
16	a. 뜻이 하나인, 모호하지 않은
17	n. 장식품
18	v. 삼켜버리다
19	v. 잘못 놓다, 잊어버리다 n. 불운, 불행
20	p. 시간을 보내다

page 103

번호	정답
21	imperil
22	despise
23	jump the queue
24	be equal to N
25	constellation
26	expedient
27	benumb
28	depreciate
29	resonant
30	status quo
31	in a bid to do
32	intangible
33	interpret
34	convoke
35	transcend
36	impoverish
37	hold one's tongue
38	by no means
39	mislead
40	con

page 104

번호	정답
1	n. 어원학
2	v. 놀라게 하다
3	n. 주행기록장치
4	n. 혼란, 소란
5	p. ~을 고려하다, ~을 계산에 넣다
6	n. 원정, 탐험
7	a. 인후의
8	v. 억제하다, 진압하다
9	n. 무질서
10	v. ~를 경멸하다
11	p. 반드시 ~하다
12	n. 극빈자, 빈민
13	n. 상원 의원
14	n. 물욕, 탐욕
15	n. 연무, 실안개; 희부연 것 v. 연무로 뒤덮이다
16	v. 배회하다, 살금살금 거닐다; 빌붙다
17	v. 퇴위하다, 포기하다
18	n. 고고학
19	p. 전시되어, 출품되어
20	p. ~에 비례하여

page 105

번호	정답
21	ensue
22	defer
23	despond
24	primate
25	miscarry
26	brute
27	let on
28	pendulum
29	aspirator
30	creep over
31	make at
32	dipole
33	come on
34	by a factor of
35	omen
36	asterisk
37	enjoin
38	pin back
39	sanitary
40	carry weight

Day 22

page 107

번호	정답
1	a. 겸손한, 자기를 낮추는
2	v. 제소하다, 소송하다
3	v. 반대하다; 위반하다
4	n. 휴식; 후미진 곳
5	a. 드문드문한, 부족한, 희박한
6	p. 변함없이
7	v. 나아가다, 행진하다 n. 3월
8	p. A추가적인 조치를 취하다
9	p. ~와 타협하다
10	v. 아름답게 하다, 장식하다, (이야기를) 꾸미다
11	p. (찬찬히) 살펴보다, 점검하다; 재고 조사하다
12	v. ~을 저장하다, 보존하다
13	p. 기꺼이 ~하다
14	v. 무너지다, 붕괴하다 n. 붕괴, 와해
15	a. 불필요한, 여분의
16	p. 이런 저런 일들 때문에 (바빠서)
17	p. 오랫동안, 상세히
18	n. 당뇨병
19	v. 공모하다, 결탁하다
20	n. 기록, 자료 수집

page 108

번호	정답
21	rejuvenate
22	exact to the life
23	extrinsic
24	intimidate
25	restrain
26	indelicate
27	dissemble
28	comprehensive
29	evoke
30	patent
31	pragmatic
32	disembodied
33	overhaul
34	in pledge
35	in no way
36	perverse
37	transaction
38	analogy
39	impracticable
40	evade

page 109

번호	정답
1	a. 겸손한, 자기를 낮추는
2	v. 혐오하다
3	v. 반대하다; 위반하다
4	n. 목초지, 방목지, 초원
5	v. 부추기다; 매혹시키다
6	a. 불규칙의, 비정형의, 이례적인
7	n. 나머지, 잔여, 자취
8	a. 눈에 띄는, 현저한
9	p. ~의 안부를 묻다
10	v. 동시에 일어나다; 일치하다
11	n. 항해, 여행
12	v. 보다, 바라보다
13	a. 질서 정연한, 조직적인
14	p. ~하기 위하여, ~을 겨냥하여
15	v. 유죄를 선고하다 n. 죄수
16	v. 고통을 가하다, 주다
17	n. 경의; 존경의 표시
18	v. 비방하다, 경시하다, ~을 얕보다
19	v. 불러일으키다, 환기시키다
20	p. 시작하다; ~이 닥쳐오다

page 110

번호	정답
21	no sooner A than B
22	dullard
23	queer
24	brute
25	acquit
26	fetch
27	chubby
28	disperse
29	artery
30	allure
31	rhetorical
32	sage
33	incubus
34	impute
35	virtuosic
36	engulf
37	posterity
38	declare
39	reprimand
40	ornament

Day 23

page 112

번호	정답
1	v. 진행하다 n. 판매 또는 거래의 수익
2	a. 속이 빈, 움푹 꺼진; 분지
3	p. 노발대발하다, 분통을 터뜨리다
4	a. 독실한, 경건한
5	n. 분개, 분노
6	n. 열광자, 광신자
7	v. ~인 체하다, 위조하다
8	n. 무법자; 자포자기식으로 사는 사람
9	n. 변천, 전이
10	n. 감시, 감독, 관찰
11	a. 상호의, 호혜적인
12	p. (가격, 기온 등이) 오르다
13	n. 겸손
14	p. 꼭 ~만큼, ~와 마찬가지로; ~못지 않게
15	n. 초식동물
16	v. 잘못 말하다, 거짓 설명하다
17	p. 전화를 끊다
18	v. 약탈[침략]하다, 끊임없이 괴롭히다
19	n. 성
20	a. 일관된, 통일성이 있는, 논리적인

page 113

번호	정답
21	take sides
22	no more than
23	beguile
24	concourse
25	augment
26	declaim
27	dreadful
28	once and for all
29	decipher
30	concentrate A on B
31	latitude
32	plumber
33	take over
34	incense
35	dialect
36	implore
37	sophisticated
38	all but
39	disjoint
40	extemporize

page 114

번호	정답
1	adv. 아마
2	p. (가격, 기온 등이) 오르다
3	n. 악인, 악한
4	v. 참다, 삼가다
5	p. 참여하다; 입후보하다
6	v. 경감시키다, 완화시키다
7	v. 팽창시키다
8	v. (불행한 일을) 피하다, 막다; 돌리다
9	n. 별자리, 성좌; 모임
10	v. 현혹시키다, 속이다
11	v. [낙태]하다, 유산하다; 중단하다, 실패하다
12	v. 어지럽히다
13	v. 면제하다, 용서하다, 사면하다
14	v. 동화되다, 동화하다; 소화하다; 이해하다
15	a. 이질적인
16	a. 실용적인
17	v. 혐오하다, 증오하다
18	v. 덧붙이다, 추가하다
19	vi. 침입하다
20	n. 상자

page 115

번호	정답
21	corrode
22	conduce
23	have a hand in
24	sermon
25	phase in
26	sojourn
27	lose the day
28	sleeve
29	tariff
30	proceeds
31	diabetes
32	aggregate
33	cross one's fingers
34	litigate
35	harry
36	cohere
37	trump
38	deplore
39	comprehend
40	denote

Day 24

page 117

번호	정답
1	p. ~에서 비롯되다
2	p. ~에 의하여, ~의 도움으로
3	n. 매복, 급습
4	a. 제멋대로인, 변덕스러운
5	v. 무너지다, 붕괴하다 n. 붕괴, 와해
6	n. 모호함, 난해함
7	v. 궁리하다, 고안하다
8	n. 새로운 말, 신어
9	v. 당황하게 하다, 실망하게 하다
10	vi. 지다, 굴복하다
11	v. 용서하다
12	v. ~을 저장하다, 보존하다
13	p. 통과되다, 성사되다, 해결하다
14	p. 만장일치로
15	n. 정반대, 대립; 대조
16	v. 양육하다, 기르다, 촉진하다, 육성하다
17	v. 경멸하다, 거부하다
18	a. 유해한, 악성인
19	a. 침체된, 불경기의
20	v. 도움, 원조; ~을 도와주다

page 118

번호	정답
21	get off the ground
22	allude
23	interlude
24	come down with
25	dissent
26	work on
27	reminiscent
28	let alone
29	spare
30	disclaim
31	on hold
32	congestion
33	affront
34	jolt
35	quarrel
36	recourse
37	embellish
38	discreet
39	incriminate
40	be concerned with

page 119

번호	정답
1	v. 잘못 말하다, 거짓 설명하다
2	n. 주춧돌; 기초
3	n. 목초지, 초원
4	n. 허위, 거짓말
5	v. 묽게 하다; 약하게 하다
6	v. 양육하다, 기르다, 촉진하다, 육성하다
7	p. 아기의 출생
8	n. 현자
9	v. 강요하다; 간섭하다, 방해하다
10	a. 불필요한, 여분의
11	a. 일관된, 통일성이 있는, 논리적인
12	v. 배회하다, 돌아다니다
13	v. 숨기다, 가장하다
14	p. 아량을 베풀다
15	v. 유죄를 선고하다 n. 죄수
16	p. ~한 속도로
17	p. 해결하다; 다리미질하다
18	v. 혐오하다, 증오하다
19	v. 수리하다
20	a. 전염성의

page 120

번호	정답
21	artery
22	desperado
23	malaria
24	sequel
25	sleeve
26	make one's way to
27	make the point that
28	tribute
29	poignant
30	deceive
31	faculty
32	aggressive to N
33	despair
34	blunt
35	weep
36	extemporize
37	conduce
38	feeble
39	breast
40	confucius

Day 25

page 122

번호	정답
1	a. 연마의; 귀에 거슬리는 n. 연마재
2	n. 유대, 관계
3	p. ~의 관점에서
4	p. 어쩔 줄을 모르는
5	v. 공모하다, 결탁하다
6	v. 밝히다, 명료하게 설명하다
7	v. 배반하다, 저버리다
8	v. 신성을 모독하다
9	p. ~이라는 인상을 주다
10	p. ~을 이기다, 능가하다
11	n. 불협화음
12	a. 결함없는, 완벽한
13	p. ~을 제출하다; 되돌려주다; 잠자리에 들다
14	a. 숙련된, 능숙한 n. 전문가, 달인
15	v. 보복하다, 반박하다
16	a. 분명한, 명백한, 솔직한, 명시적인
17	a. 제대로 된, 적절한, 알맞은, 품위 있는
18	p. 실제로, 사실은
19	n. 침략, 습격
20	a. 비참한, 비열한

page 123

번호	정답
21	all the same
22	ambient
23	amicable
24	agile
25	traduce
26	abridge
27	extort
28	sedentary
29	take A into account
30	procrastinate
31	on the whole
32	dubious
33	dwell on
34	devout
35	fallacy
36	implicit
37	delinquent
38	reconcile
39	aberrant
40	affiliate

page 124

번호	정답
1	n. 배우자
2	p. 위기일발
3	a. 손쉬운, 수월한
4	p. 그래도, 그럼에도 불구하고, 역시
5	v. 취임시키다, 입문시키다; 전수하다
6	n. 소요, 소동
7	n. 승합버스
8	a. 참회하는, 뉘우치는 n. 참회자
9	n. 위도; 허용범위
10	p. ~을 제공하다, ~을 제시하다
11	v. 응고하다; 단결하다; 확고해지다
12	v. 특허를 받다 n. 특허, 특허권
13	v. 강요하다; 간섭하다, 방해하다
14	n. 유아
15	a. 우스운
16	v. 언급하다, 암시하다
17	v. 방해하다
18	a. 암울한, 음습한
19	a. 겁 먹은
20	a. 주로 앉아서 지내는

page 125

번호	정답
21	declaim
22	odometer
23	trump
24	malfunction
25	haze
26	amass
27	at the outset
28	do A up
29	emit
30	deceive
31	detain
32	pension
33	incur
34	what A like
35	transfuse
36	at its highest
37	falter
38	be skilled in
39	at the best
40	carton

무지개보카 고등 중급 워크북

발 행 | 2024년 3월 6일
저 자 | 김동원
펴낸이 | 한건희
펴낸곳 | 주식회사 부크크
출판사등록 | 2014.07.15(제2014-16호)
주 소 | 서울특별시 금천구 가산디지털1로 110 SK트윈타워 A동 305호
전 화 | 1670-8316
이메일 | info@bookk.co.kr

ISBN | 979-11-410-7523-1

www.bookk.co.kr
